하루 한장 75일

KB087426

교과연산

D2

초4 분수의 덧셈과 뺄셈

변화를 정확히 이해해야 합니다.

수학의 기본이면서 이제는 필수가 된 연산 학습, 그런데 왜 우리 아이들은 많은 학습지를 풀고도 학교에 가면 연산 문제를 해결하지 못할까요?
지금 우리 아이들이 학습하는 교과서는 과거와는 많이 다릅니다. 단순 계산력을 확인하는 문제 대신 다양한 상황을 제시하고 상황에 맞게 문제를 해결하는 과정을 평가합니다. 그래서 단순히 계산하여 답을 내는 것보다 문장을 이해하고 상황을 판단하여 스스로 식을 세우고 문제를 해결하는 복합적인 사고 과정이 필요합니다.
그림을 보고 상황을 판단하는 능력, 그림을 보고 상황을 말로 표현하는 능력, 문장을 이해하는 능력 등 상황 판단 능력을 길러야 하는 이유입니다.

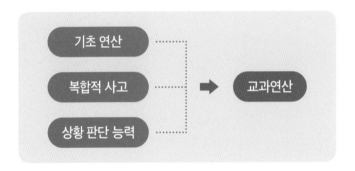

연산 원리를 학습함에 있어서도 대표적인 하나의 풀이 방법을 공식처럼 외우기만 해서는 지금의 연산 문제를 해결하기 어렵습니다. 연산 학습과 함께 다양한 방법으로 수를 분해하고 결합하는 과정, 즉 수 자체에 대한 학습도 병행되어야 합니다.
교과연산은 연산 학습과 함께 수 자체를 온전히 학습할 수 있도록 단계마다 '수특강'을 구성하고 있습니다.
계산은 문제를 해결하는 하나의 과정으로서의 의미가 큽니다.

학교에서 배우게 될 내용과 직접적으로 관련이 있는 교과연산으로 가장 먼저 시작하기를 추천드립니다.
요즘 연산은 교과 연산입니다.

"계산은 그 자체가 목적이 아닙니다. 문제를 해결하는 하나의 과정입니다."

하루 **한** 장, **75**일에 완성하는 **교과연산**

한 단계는 총 4권으로 수를 학습하는 0권과 연산을 학습하는 1권, 2권, 3권으로 구성되어 있습니다.

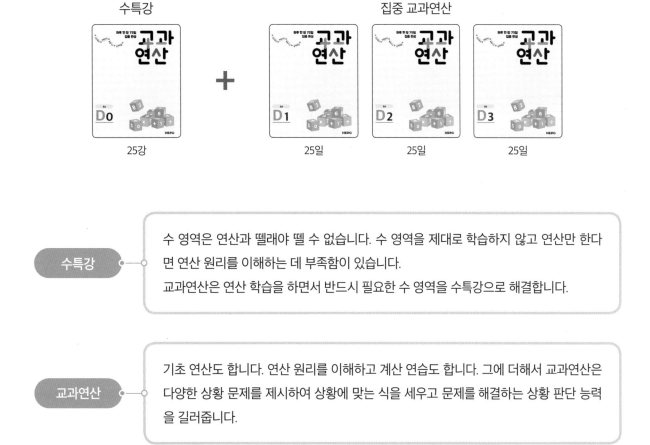

수특강
> 수 영역은 연산과 뗄래야 뗄 수 없습니다. 수 영역을 제대로 학습하지 않고 연산만 한다면 연산 원리를 이해하는 데 부족함이 있습니다.
> 교과연산은 연산 학습을 하면서 반드시 필요한 수 영역을 수특강으로 해결합니다.

교과연산
> 기초 연산도 합니다. 연산 원리를 이해하고 계산 연습도 합니다. 그에 더해서 교과연산은 다양한 상황 문제를 제시하여 상황에 맞는 식을 세우고 문제를 해결하는 상황 판단 능력을 길러줍니다.

"연산을 이해하기 위해서는 수를 먼저 이해해야 합니다."

원리는 기본, 복합적 사고 문제까지 다루는 교과연산

원리
수와 연산의 원리를
이해하고 연습합니다.

복합적 사고
연산 원리를 이용하여
다양한 소재의 복합적
문제를 해결합니다.

상황 판단 문제
문장 이해력을 기르고
상황에 맞는 식을 세워
문제를 해결합니다.

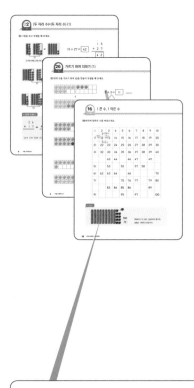

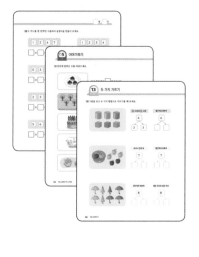

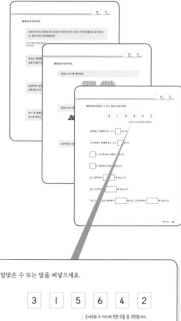

[체크 박스]
문제를 해결하는 데 도움이
되는 방향을 제시합니다.

빈칸에 알맞은 수 또는 말을 써넣으세요.

| 3 | 1 | 5 | 6 | 4 | 2 |

순서수와 수 카드에 적힌 수를 잘 구분합니다.

100

99보다 1 큰 수를 100이라고 합니다.
100은 백이라고 읽습니다.

[개념 포인트]
꼭 필요한 기본 개념을
설명합니다.

"교과연산은 꼬이고 꼬인 어려운 연산이 아닙니다.
일상 생활 속에서 상황을 판단하는 능력을 길러주는 연산입니다."

하루 **한** 장, 75일 집중 완성 교과연산 **묻고 답하기**

Q1 왜 교과연산인가요?

지금의 교과서는 과거의 교과서와는 많이 다릅니다. 하지만 아쉽게도 기존의 연산학습지는 과거의 연산 학습 방법을 그대로 답습하고 변화를 제대로 반영하지 못하고 있습니다. 교과연산은 교과서의 변화를 정확히 이해하고 체계적으로 학습을 할 수 있도록 안내합니다.

Q2 다른 연산 교재와 어떻게 다른가요?

교과연산은 변화된 교과서의 핵심 내용인 상황 판단 능력과 복합적 사고력을 길러주는 최신 연산 프로그램입니다. 또한 연산 학습의 바탕이 되는 '수'를 수특강으로 다루고 있어 수학의 기본이 되는 연산학습을 체계적으로 학습할 수 있습니다.

Q3 학교 진도와는 맞나요?

네, 교과연산은 학교 수업 진도와 최신 개정된 교과 단원에 맞추어 개발하였습니다.

Q4 단계 선택은 어떻게 해야 할까요?

권장 연령의 학습을 추천합니다.
다만, 처음 교과 연산을 시작하는 학생이라면 한 단계 낮추어 시작하는 것도 좋습니다.

Q5 '수특강'을 먼저 해야 하나요?

'수특강'을 가장 먼저 학습하는 것을 권장합니다. P단계를 예로 들어보면 P0(수특강)을 먼저 학습한 후 차례대로 P1~P3 학습을 진행합니다. '수특강'은 각 단계의 연산 원리와 개념을 정확하게 이해하고 상황 문제를 해결하는 데 디딤돌이 되어줄 것입니다.

이 책의 차례

1주차 분수의 덧셈

진분수 덧셈

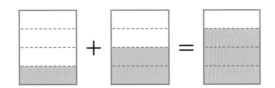 알맞게 색칠하고 분수의 덧셈을 해 보세요.

$$\frac{1}{4} + \frac{2}{4} = \frac{\boxed{3}}{\boxed{4}}$$

$$\frac{3}{5} + \frac{1}{5} = \frac{\square}{\square}$$

$$\frac{2}{7} + \frac{4}{7} = \frac{\square}{\square}$$

$$\frac{2}{3} + \frac{1}{3} = \square$$

$$\frac{5}{6} + \frac{2}{6} = \square \frac{\square}{\square}$$

$$\frac{3}{5} + \frac{4}{5} = \square \frac{\square}{\square}$$

📖 수직선을 이용하여 분수의 덧셈을 해 보세요.

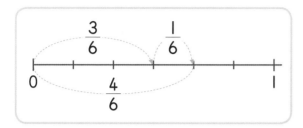

$$\frac{3}{6} + \frac{1}{6} = \frac{\boxed{3} + \boxed{1}}{6} = \frac{\boxed{}}{6}$$

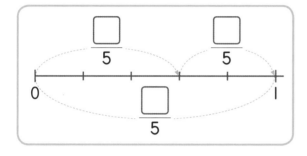

$$\frac{3}{5} + \frac{2}{5} = \frac{\boxed{} + \boxed{}}{5} = \frac{\boxed{}}{\boxed{}} = \boxed{}$$

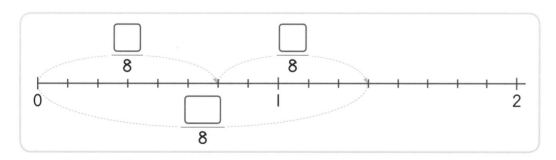

$$\frac{6}{8} + \frac{5}{8} = \frac{\boxed{} + \boxed{}}{8} = \frac{\boxed{}}{\boxed{}} = \boxed{}\frac{\boxed{}}{\boxed{}}$$

⭐ 분모가 같은 분수의 덧셈

$\frac{1}{4}$은 $\frac{1}{4}$이 1개, $\frac{2}{4}$는 $\frac{1}{4}$이 2개이므로 $\frac{1}{4} + \frac{2}{4}$는 $\frac{1}{4}$이 3개입니다. ➡ $\frac{1}{4} + \frac{2}{4} = \frac{1+2}{4} = \frac{3}{4}$

따라서 분모가 같은 분수의 덧셈에서는 분모는 그대로 두고 분자만 더합니다.

대분수 덧셈

알맞게 색칠하고 분수의 덧셈을 해 보세요.

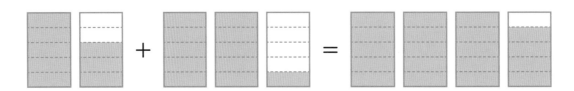

$$1\frac{3}{5} + 2\frac{1}{5} = (1 + \boxed{2}) + (\frac{3}{5} + \frac{\square}{5}) = \boxed{3} + \frac{\square}{5} = \boxed{}\frac{\square}{\square}$$

자연수 부분끼리, 진분수 부분끼리 각각 더하여 계산할 수 있습니다.

$$2\frac{2}{8} + 1\frac{5}{8} = (2 + \boxed{}) + (\frac{2}{8} + \frac{\square}{8}) = \boxed{} + \frac{\square}{\square} = \boxed{}\frac{\square}{\square}$$

$$1\frac{3}{4} + 1\frac{2}{4} = (\boxed{} + 1) + (\frac{\square}{4} + \frac{2}{4}) = 2 + \frac{\square}{4}$$

$$= 2 + \boxed{}\frac{\square}{\square} = \boxed{}\frac{\square}{\square}$$

■ 수직선을 이용하여 분수의 덧셈을 해 보세요.

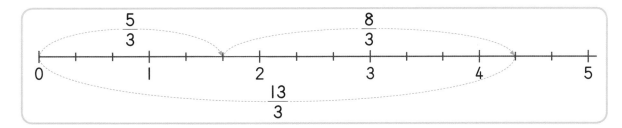

대분수를 가분수로 바꾸어 분자끼리 더할 수 있습니다.

$$1\frac{2}{3} + 2\frac{2}{3} = \frac{5}{3} + \frac{8}{3} = \frac{\boxed{}}{3} = \boxed{}\frac{\boxed{}}{\boxed{}}$$

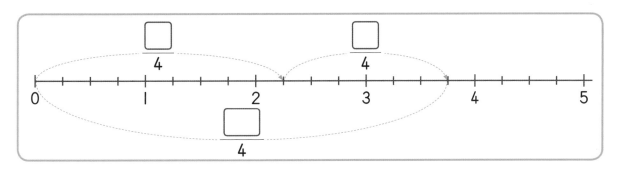

$$2\frac{1}{4} + 1\frac{2}{4} = \frac{\boxed{}}{4} + \frac{\boxed{}}{4} = \frac{\boxed{}}{\boxed{}} = \boxed{}\frac{\boxed{}}{\boxed{}}$$

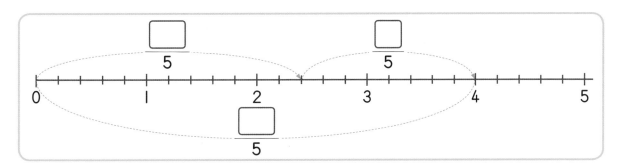

$$2\frac{2}{5} + 1\frac{3}{5} = \frac{\boxed{}}{5} + \frac{\boxed{}}{5} = \frac{\boxed{}}{\boxed{}} = \boxed{}$$

■ 계산해 보세요.

$\dfrac{1}{8} + \dfrac{4}{8}$

$\dfrac{3}{10} + \dfrac{6}{10}$

$\dfrac{2}{9} + \dfrac{7}{9}$

$\dfrac{6}{7} + \dfrac{4}{7}$

$3\dfrac{2}{5} + 2\dfrac{1}{5}$

$2\dfrac{3}{8} + 4\dfrac{4}{8}$

$1\dfrac{5}{6} + 3\dfrac{4}{6}$

$5\dfrac{7}{9} + 1\dfrac{4}{9}$

$4\dfrac{2}{7} + \dfrac{3}{7}$

$2\dfrac{3}{5} + \dfrac{4}{5}$

$\dfrac{1}{8} + 5\dfrac{2}{8}$

$\dfrac{5}{3} + 3\dfrac{2}{3}$

$\dfrac{9}{4} + \dfrac{3}{4}$

$\dfrac{10}{6} + \dfrac{7}{6}$

📘 분수의 덧셈을 해 보세요.

+	$\frac{1}{3}$	$\frac{4}{3}$	$\frac{5}{3}$
$\frac{1}{3}$	$\frac{2}{3}$		

+	$\frac{5}{9}$	$\frac{7}{9}$	$\frac{10}{9}$
$\frac{2}{9}$			$1\frac{3}{9}$

+	$\frac{3}{11}$	$\frac{5}{11}$	$\frac{8}{11}$
$\frac{4}{11}$			

+	$\frac{1}{6}$	$\frac{4}{6}$	$\frac{8}{6}$
$\frac{7}{6}$			

+	$\frac{2}{5}$	$2\frac{1}{5}$	$3\frac{3}{5}$
$2\frac{2}{5}$			

+	$\frac{5}{7}$	$2\frac{6}{7}$	$5\frac{2}{7}$
$1\frac{3}{7}$			

+	$1\frac{7}{8}$	$3\frac{2}{8}$	$4\frac{5}{8}$
$\frac{5}{8}$			

+	$2\frac{2}{4}$	$3\frac{1}{4}$	$3\frac{3}{4}$
$\frac{5}{4}$			

□가 있는 덧셈

🔖 빈칸에 알맞은 수를 써넣으세요.

$$\frac{2}{7} + \frac{\boxed{}}{7} = \frac{5}{7}$$

2+□=5

$$\frac{\boxed{}}{10} + \frac{5}{10} = \frac{9}{10}$$

$$\frac{3}{5} + \frac{\boxed{}}{5} = 1\frac{2}{5}$$

$1\frac{2}{5} = \frac{7}{5}$

$$\frac{\boxed{}}{6} + \frac{5}{6} = 1\frac{4}{6}$$

$$\frac{4}{3} + \frac{\boxed{}}{3} = 2$$

$$\frac{\boxed{}}{4} + \frac{5}{4} = 2\frac{3}{4}$$

$$1\frac{5}{8} + 2\frac{\boxed{}}{8} = 3\frac{7}{8}$$

$$3\frac{\boxed{}}{9} + 1\frac{7}{9} = 4\frac{8}{9}$$

$$2\frac{4}{5} + \frac{\boxed{}}{5} = 4\frac{1}{5}$$

$$\frac{\boxed{}}{7} + 1\frac{6}{7} = 3\frac{3}{7}$$

$$3\frac{1}{4} + \frac{\boxed{}}{4} = 4$$

$$\frac{\boxed{}}{8} + 1\frac{5}{8} = 4\frac{1}{8}$$

📖 □ 안에 들어갈 수 있는 수를 모두 써 보세요. (단, □ 안에 들어가는 수는 0보다 큽니다.)

$$\frac{2}{8} + \frac{2}{8} > \frac{\square}{8}$$

(   )

$$1\frac{1}{7} + 2\frac{2}{7} < 3\frac{\square}{7}$$

(   )

$$\frac{7}{6} + \frac{1}{6} < 1\frac{\square}{6}$$

(   )

$$\frac{3}{11} + \frac{\square}{11} < \frac{8}{11}$$

(   )

$$\frac{2}{9} + 1\frac{\square}{9} > 1\frac{6}{9}$$

(   )

$$\frac{\square}{8} + \frac{4}{8} < 1\frac{1}{8}$$

(   )

$$\frac{4}{6} < \frac{2}{6} + \frac{\square}{6} < \frac{9}{6}$$

(   )

$$1 < \frac{\square}{4} + \frac{3}{4} < 2$$

(   )

30_일 이야기하기

알맞게 색칠하고 답을 구해 보세요.

미술 시간에 진성이는 끈을 $\frac{4}{9}$m 사용했고 기우는 $\frac{3}{9}$m 사용했습니다. 두 사람이 사용한 끈 길이만큼 색칠하고, 모두 몇 m 사용했는지 구해 보세요.

(   )m

지수는 사과를 $1\frac{3}{4}$개 먹었고 윤후는 $2\frac{2}{4}$개 먹었습니다. 두 사람이 먹은 사과 수만큼 색칠하고, 모두 몇 개 먹었는지 구해 보세요.

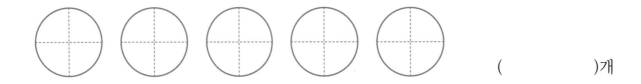

(   )개

수민이는 우유를 어제는 $1\frac{2}{5}$컵, 오늘은 $\frac{6}{5}$컵 마셨습니다. 수민이가 어제와 오늘 마신 우유 양만큼 색칠하고, 모두 몇 컵 먹었는지 구해 보세요.

(   )컵

📘 물음에 답하세요.

현수가 어제는 $\frac{4}{6}$시간, 오늘은 $\frac{1}{6}$시간 동안 그림을 그렸습니다. 현수가 어제와 오늘 그림을 그린 시간은 모두 몇 시간일까요?

식 _____ 답 _____ 시간

집에서 학교까지 가는 거리는 $\frac{5}{7}$km, 학교에서 도서관까지 가는 거리는 $\frac{10}{7}$km 입니다. 집에서 학교를 지나 도서관까지 가는 거리는 모두 몇 km일까요?

식 _____ 답 _____ km

승아네 집에 우유가 $2\frac{6}{10}$L 있고, 주스는 우유보다 $1\frac{7}{10}$L 더 많이 있습니다. 주스는 몇 L 있을까요?

식 _____ 답 _____ L

양동이에 물이 $3\frac{2}{5}$L 들어 있었는데 $\frac{11}{5}$L를 더 부었습니다. 양동이에 들어 있는 물은 모두 몇 L일까요?

식 _____ 답 _____ L

■ 물음에 답하세요.

사과의 무게는 $\frac{1}{5}$kg, 배는 $\frac{3}{5}$kg, 파인애플은 $\frac{12}{5}$kg입니다. 세 과일 무게의 합은 몇 kg일까요?

(   )

지은이는 $\frac{3}{12}$시간 동안 걷고, 1시간 동안 버스를 타고, 다시 $\frac{2}{12}$시간 동안 걸어서 할머니 댁에 도착했습니다. 할머니 댁에 도착하기까지 걸린 시간은 몇 시간일까요?

(   )

세연이는 사과를 $1\frac{2}{6}$개 먹었습니다. 민재는 세연이보다 $\frac{7}{6}$개 더 먹었고, 두호는 민재보다 $\frac{3}{6}$개 더 먹었습니다. 두호는 사과를 몇 개 먹었을까요?

(   )

무게가 $\frac{7}{4}$kg인 상자가 2상자, $2\frac{1}{4}$kg인 상자가 1상자 있습니다. 3상자의 무게는 모두 몇 kg일까요?

(   )

2주차 분수의 뺄셈 (1)

■ 빼는 수만큼 ✕표 하고 분수의 뺄셈을 해 보세요.

$$\frac{6}{7} - \frac{2}{7} = \frac{\boxed{4}}{\boxed{7}}$$

$$\frac{3}{5} - \frac{1}{5} = \frac{\boxed{}}{\boxed{}}$$

$$\frac{9}{10} - \frac{5}{10} = \frac{\boxed{}}{\boxed{}}$$

$$\frac{7}{9} - \frac{6}{9} = \frac{\boxed{}}{\boxed{}}$$

$$1 - \frac{1}{3} = \frac{\boxed{}}{\boxed{}}$$

$$1 - \frac{4}{7} = \frac{\boxed{}}{\boxed{}}$$

$$1 - \frac{5}{6} = \frac{\boxed{}}{\boxed{}}$$

$$1 - \frac{3}{8} = \frac{\boxed{}}{\boxed{}}$$

■ 수직선을 이용하여 분수의 뺄셈을 해 보세요.

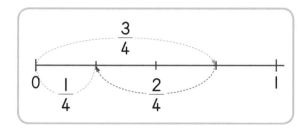

$$\frac{3}{4} - \frac{2}{4} = \frac{\boxed{3} - \boxed{2}}{4} = \frac{\boxed{}}{4}$$

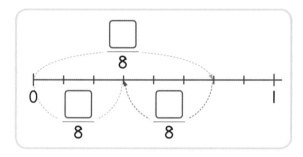

$$\frac{6}{8} - \frac{3}{8} = \frac{\boxed{} - \boxed{}}{8} = \frac{\boxed{}}{\boxed{}}$$

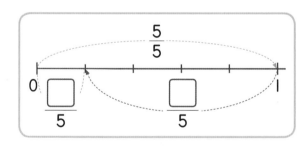

$$1 - \frac{4}{5} = \frac{\boxed{}}{5} - \frac{\boxed{}}{5}$$

$$= \frac{\boxed{} - \boxed{}}{5} = \frac{\boxed{}}{\boxed{}}$$

1은 $\frac{1}{5}$이 5개이므로 $\frac{5}{5}$로 나타낼 수 있습니다.

★ 분모가 같은 분수의 뺄셈

$\frac{6}{7}$은 $\frac{1}{7}$이 6개, $\frac{2}{7}$는 $\frac{1}{7}$이 2개이므로 $\frac{6}{7} - \frac{2}{7}$는 $\frac{1}{7}$이 4개입니다. ➡ $\frac{6}{7} - \frac{2}{7} = \frac{6-2}{7} = \frac{4}{7}$

따라서 분모가 같은 분수의 뺄셈에서도 덧셈과 마찬가지로 분모는 그대로 두고 분자만 뺍니다.

32일 대분수 뺄셈 (1)

빼는 수만큼 ✕표 하고 분수의 뺄셈을 해 보세요.

$$3\frac{4}{5} - 1\frac{2}{5} = (3 - \boxed{1}) + \left(\frac{4}{5} - \frac{\boxed{}}{5}\right) = \boxed{2} + \frac{\boxed{}}{5} = \boxed{}\frac{\boxed{}}{\boxed{}}$$

자연수 부분끼리 빼고, 진분수 부분끼리 뺀 결과를 더하여 계산할 수 있습니다.

$$4\frac{2}{3} - 2\frac{1}{3} = (4 - \boxed{}) + \left(\frac{2}{3} - \frac{\boxed{}}{3}\right) = \boxed{} + \frac{\boxed{}}{\boxed{}} = \boxed{}\frac{\boxed{}}{\boxed{}}$$

$$2\frac{4}{6} - 2\frac{3}{6} = (\boxed{} - 2) + \left(\frac{\boxed{}}{6} - \frac{3}{6}\right) = \frac{\boxed{}}{\boxed{}}$$

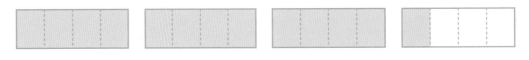

$$3\frac{1}{4} - 1\frac{1}{4} = (\boxed{} - 1) + \left(\frac{\boxed{}}{4} - \frac{1}{4}\right) = \boxed{}$$

수직선을 이용하여 분수의 뺄셈을 해 보세요.

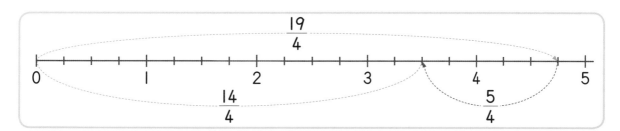

대분수를 가분수로 바꾸어 분자끼리 뺄 수 있습니다.

$$4\frac{3}{4} - 1\frac{1}{4} = \frac{19}{4} - \frac{5}{4} = \frac{\boxed{}}{4} = \boxed{}\frac{\boxed{}}{\boxed{}}$$

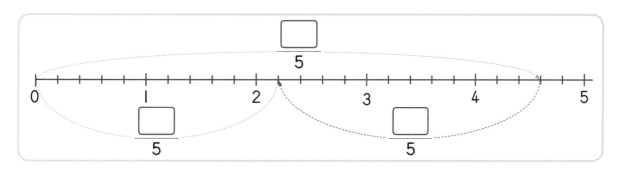

$$4\frac{3}{5} - 2\frac{2}{5} = \frac{\boxed{}}{5} - \frac{\boxed{}}{5} = \frac{\boxed{}}{\boxed{}} = \boxed{}\frac{\boxed{}}{\boxed{}}$$

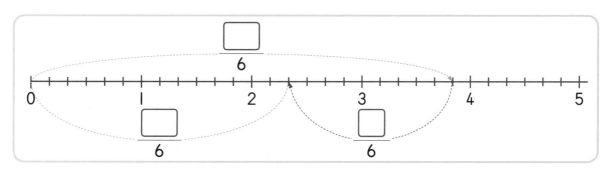

$$3\frac{5}{6} - 1\frac{3}{6} = \frac{\boxed{}}{6} - \frac{\boxed{}}{6} = \frac{\boxed{}}{\boxed{}} = \boxed{}\frac{\boxed{}}{\boxed{}}$$

📋 계산해 보세요.

$\dfrac{7}{8} - \dfrac{4}{8}$

$\dfrac{5}{10} - \dfrac{4}{10}$

$1 - \dfrac{2}{9}$

$1 - \dfrac{1}{4}$

$4\dfrac{4}{5} - 1\dfrac{2}{5}$

$5\dfrac{6}{7} - 3\dfrac{3}{7}$

$6\dfrac{4}{6} - 2\dfrac{4}{6}$

$3\dfrac{8}{9} - 3\dfrac{1}{9}$

$1\dfrac{7}{8} - \dfrac{2}{8}$

$3\dfrac{2}{3} - \dfrac{4}{3}$

$\dfrac{13}{7} - 1\dfrac{5}{7}$

$\dfrac{23}{4} - 4\dfrac{1}{4}$

$\dfrac{25}{9} - \dfrac{10}{9}$

$\dfrac{39}{10} - \dfrac{15}{10}$

📖 분수의 뺄셈을 해 보세요.

−	$\dfrac{1}{5}$	$\dfrac{2}{5}$	$\dfrac{3}{5}$
$\dfrac{4}{5}$		$\dfrac{2}{5}$	

−	$\dfrac{2}{12}$	$\dfrac{3}{12}$	$\dfrac{6}{12}$
$\dfrac{7}{12}$	$\dfrac{5}{12}$		

−	$\dfrac{2}{6}$	$\dfrac{6}{6}$	$\dfrac{7}{6}$
$\dfrac{10}{6}$			

−	$\dfrac{4}{3}$	$\dfrac{8}{3}$	$\dfrac{10}{3}$
$\dfrac{14}{3}$			

−	$\dfrac{4}{7}$	$1\dfrac{5}{7}$	$3\dfrac{1}{7}$
$4\dfrac{6}{7}$			

−	$\dfrac{2}{9}$	$2\dfrac{1}{9}$	$4\dfrac{6}{9}$
$7\dfrac{7}{9}$			

−	$\dfrac{3}{4}$	$\dfrac{5}{4}$	$\dfrac{14}{4}$
$5\dfrac{3}{4}$			

−	$1\dfrac{4}{8}$	$2\dfrac{3}{8}$	$3\dfrac{1}{8}$
$\dfrac{29}{8}$			

□가 있는 뺄셈

🔖 빈칸에 알맞은 수를 써넣으세요.

$\dfrac{5}{6} - \dfrac{\boxed{}}{6} = \dfrac{1}{6}$

5−□=1

$\dfrac{\boxed{}}{9} - \dfrac{2}{9} = \dfrac{3}{9}$

$\dfrac{10}{3} - \dfrac{\boxed{}}{3} = 3$

$3 = \dfrac{9}{3}$

$\dfrac{\boxed{}}{5} - \dfrac{2}{5} = 3\dfrac{1}{5}$

$\dfrac{7}{2} - \dfrac{\boxed{}}{2} = 1\dfrac{1}{2}$

$\dfrac{\boxed{}}{10} - \dfrac{11}{10} = 1\dfrac{5}{10}$

$2\dfrac{6}{7} - 1\dfrac{\boxed{}}{7} = 1\dfrac{2}{7}$

$4\dfrac{\boxed{}}{4} - 2\dfrac{1}{4} = 2\dfrac{1}{4}$

$3\dfrac{4}{5} - \dfrac{\boxed{}}{5} = 2\dfrac{3}{5}$

$\dfrac{\boxed{}}{8} - 1\dfrac{3}{8} = 1\dfrac{2}{8}$

$2\dfrac{5}{6} - \dfrac{\boxed{}}{6} = \dfrac{5}{6}$

$\dfrac{\boxed{}}{7} - 2\dfrac{1}{7} = \dfrac{4}{7}$

📖 □ 안에 들어갈 수 있는 수를 모두 써 보세요. (단, □ 안에 들어가는 수는 0보다 큽니다.)

$$\frac{7}{10} - \frac{3}{10} > \frac{\square}{10}$$

(   )

$$4\frac{5}{9} - 1\frac{1}{9} < 3\frac{\square}{9}$$

(   )

$$\frac{7}{9} - \frac{\square}{9} > \frac{2}{9}$$

(   )

$$3\frac{\square}{8} - 1\frac{2}{8} > 2\frac{2}{8}$$

(   )

$$4\frac{5}{6} - 2\frac{\square}{6} < 2\frac{3}{6}$$

(   )

$$\frac{10}{3} - \frac{\square}{3} > 1\frac{2}{3}$$

(   )

$$0 < \frac{\square}{5} - \frac{2}{5} < 1$$

(   )

$$1 < \frac{11}{4} - \frac{\square}{4} < 2$$

(   )

35 이야기하기

🟦 물음에 답하세요.

노란색 끈의 길이는 $\frac{7}{8}$ m, 파란색 끈의 길이는 $\frac{4}{8}$ m입니다. 노란색 끈은 파란색 끈보다 몇 m 더 길까요?

$\frac{7}{8}$ m $\frac{4}{8}$ m

식 _____   답 _____ m

물이 $5\frac{9}{10}$ 컵 있습니다. 시연이가 물 $2\frac{2}{10}$ 컵을 마셨다면 남은 물은 몇 컵일까요?

식 _____   답 _____ 컵

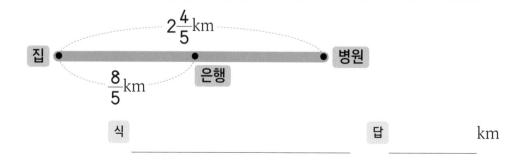

은행에서 병원까지 가는 거리는 몇 km일까요?

$2\frac{4}{5}$ km

집 ●————————●————————● 병원
         은행

$\frac{8}{5}$ km

식 _____   답 _____ km

■ 물음에 답하세요.

우유가 1L 있습니다. 은성이가 우유를 오전에 $\frac{2}{9}$L, 오후에 $\frac{5}{9}$L 마셨습니다. 남은 우유는 몇 L일까요?

(   )

설탕이 $4\frac{5}{7}$kg 있습니다. 잼을 만드는 데 $1\frac{2}{7}$kg 사용하고, 쿠키를 만드는 데 $\frac{3}{7}$kg 사용했습니다. 남은 설탕은 몇 kg일까요?

(   )

주스가 $5\frac{4}{6}$컵 있습니다. 진우가 2컵, 지은이가 $\frac{9}{6}$컵 마셨습니다. 남은 주스는 몇 컵일까요?

(   )

경찰서에서 우체국까지 가는 거리는 몇 km일까요?

집 $\frac{3}{8}$km   경찰서 $6\frac{6}{8}$km   우체국 $3\frac{2}{8}$km   기차역

(   )

밀가루가 1kg 있습니다. 케이크 1개를 만드는 데 밀가루 $\frac{2}{5}$kg이 필요합니다. 케이크를 몇 개까지 만들 수 있고, 남는 밀가루는 몇 kg일까요?

1kg에서 케이크 1개를 만드는 데 필요한 양만큼 계속 뺍니다.

만들 수 있는 케이크 _____ 개, 남는 밀가루 _____ kg

리본끈이 $4\frac{6}{8}$m 있습니다. 상자 1개를 포장하는 데 리본끈 $1\frac{2}{8}$m가 필요합니다. 상자를 몇 개까지 포장할 수 있고, 남는 리본끈은 몇 m일까요?

포장할 수 있는 상자 _____ 개, 남는 리본끈 _____ m

사과가 $2\frac{5}{6}$kg 있습니다. 사과 파이 1개를 만드는 데 사과 $\frac{7}{6}$kg이 필요합니다. 사과 파이를 몇 개까지 만들 수 있고, 남는 사과는 몇 kg일까요?

만들 수 있는 사과 파이 _____ 개, 남는 사과 _____ kg

3주차 분수의 뺄셈 (2)

자연수에서 분수 빼기

🟦 빼는 수만큼 ✕표 하고 분수의 뺄셈을 해 보세요.

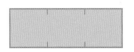 

$$2 - \frac{2}{3} = 1\frac{3}{3} - \frac{2}{3} = \boxed{1}\frac{\boxed{1}}{\boxed{3}}$$

2에서 1만큼을 $\frac{3}{3}$으로 바꾸면 $1\frac{3}{3}$으로 나타낼 수 있습니다.

$$4 - \frac{3}{5} = \boxed{}\frac{\boxed{}}{5} - \frac{3}{5} = \boxed{}\frac{\boxed{}}{\boxed{}}$$

4에서 1만큼을 $\frac{5}{5}$로 바꿉니다.

$$3 - 1\frac{1}{6} = \boxed{}\frac{\boxed{}}{6} - 1\frac{1}{6} = \boxed{}\frac{\boxed{}}{\boxed{}}$$

$$5 - 2\frac{3}{4} = \boxed{}\frac{\boxed{}}{4} - 2\frac{3}{4} = \boxed{}\frac{\boxed{}}{\boxed{}}$$

■ 수직선을 이용하여 분수의 뺄셈을 해 보세요.

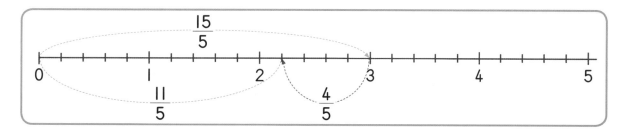

자연수와 대분수를 가분수로 바꾸어 계산합니다.

$$3 - \frac{4}{5} = \frac{15}{5} - \frac{\boxed{}}{5} = \frac{\boxed{}}{5} = \boxed{}\frac{\boxed{}}{\boxed{}}$$

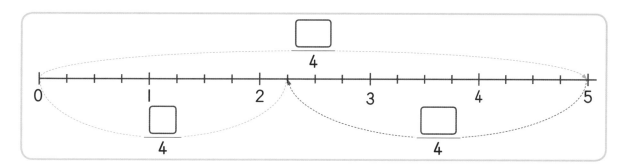

$$5 - 2\frac{3}{4} = \frac{\boxed{}}{4} - \frac{\boxed{}}{4} = \frac{\boxed{}}{\boxed{}} = \boxed{}\frac{\boxed{}}{\boxed{}}$$

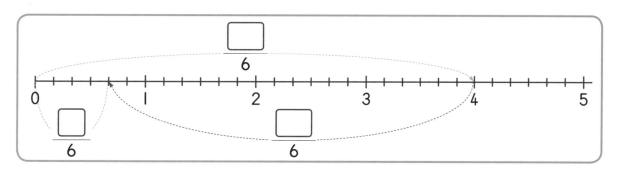

$$4 - 3\frac{2}{6} = \frac{\boxed{}}{6} - \frac{\boxed{}}{6} = \frac{\boxed{}}{\boxed{}}$$

🎴 빼는 수만큼 ✕표 하고 분수의 뺄셈을 해 보세요.

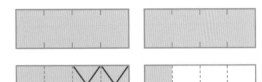

$$3\frac{1}{4} - \frac{2}{4} = 2\frac{5}{4} - \frac{2}{4} = \boxed{2}\frac{\boxed{3}}{\boxed{4}}$$

3에서 1만큼을 $\frac{4}{4}$로 바꾼 다음, $\frac{1}{4}$과 합쳐 $2\frac{5}{4}$로 나타냅니다.

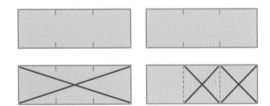

$$2\frac{2}{7} - \frac{5}{7} = \boxed{}\frac{\boxed{}}{7} - \frac{5}{7} = \boxed{}\frac{\boxed{}}{\boxed{}}$$

$2\frac{2}{7} \rightarrow 1\frac{7}{7}$과 $\frac{2}{7} \rightarrow 1\frac{9}{7}$

$$4\frac{1}{3} - 1\frac{2}{3} = \boxed{}\frac{\boxed{}}{3} - 1\frac{2}{3} = \boxed{}\frac{\boxed{}}{\boxed{}}$$

$$3\frac{3}{6} - 2\frac{5}{6} = \boxed{}\frac{\boxed{}}{6} - 2\frac{5}{6} = \frac{\boxed{}}{\boxed{}}$$

■ 수직선을 이용하여 분수의 뺄셈을 해 보세요.

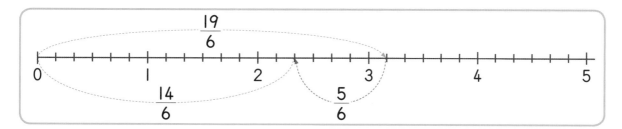

대분수를 가분수로 바꾸어 계산합니다.

$$3\frac{1}{6} - \frac{5}{6} = \frac{19}{6} - \frac{\boxed{}}{6} = \frac{\boxed{}}{6} = \boxed{}\frac{\boxed{}}{\boxed{}}$$

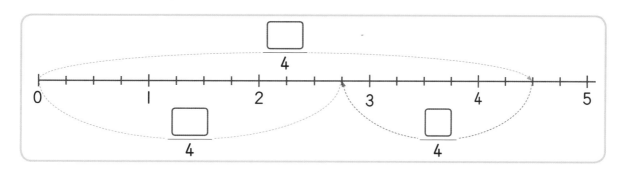

$$4\frac{2}{4} - 1\frac{3}{4} = \frac{\boxed{}}{4} - \frac{\boxed{}}{4} = \frac{\boxed{}}{\boxed{}} = \boxed{}\frac{\boxed{}}{\boxed{}}$$

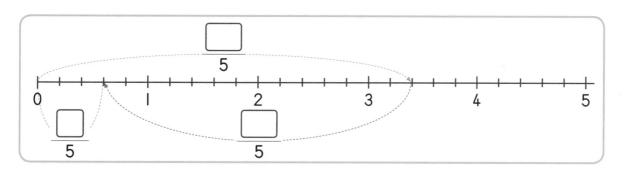

$$3\frac{2}{5} - 2\frac{4}{5} = \frac{\boxed{}}{5} - \frac{\boxed{}}{5} = \frac{\boxed{}}{\boxed{}}$$

받아내림이 있는 뺄셈

🪙 뺄셈식을 잘못 계산한 이유를 설명하고 있습니다. 빈칸에 알맞은 수를 써넣으세요.

$$4 - 1\frac{2}{5} = 3\frac{2}{5}$$

4 $-1\frac{2}{5}$가 3보다 큰지 작은지 어림해 봅니다.

4에서 1을 빼고 $\frac{2}{5}$를 더 빼야 하므로

$3 - \frac{2}{5} = 2\frac{5}{5} - \frac{2}{5} = \boxed{}\dfrac{\boxed{}}{\boxed{}}$입니다.

$$3\frac{1}{4} - 1\frac{2}{4} = 2\frac{3}{4}$$

$3\frac{1}{4}$은 $2\dfrac{\boxed{}}{\boxed{}}$로 바꿀 수 있으므로

$2\dfrac{\boxed{}}{\boxed{}} - 1\frac{2}{4} = \boxed{}\dfrac{\boxed{}}{\boxed{}}$입니다.

$$3 - 2\frac{6}{7} = 1\frac{1}{7}$$

$3 - 2 = 1$이지만 $\frac{6}{7}$을 더 빼야 하므로

계산 결과는 $\boxed{}$보다 작아야 합니다.

$$5\frac{1}{6} - 3\frac{5}{6} = 2\frac{2}{6}$$

$5 - 3 = 2$이지만 $\frac{1}{6}$이 $\frac{5}{6}$보다 작으므로

계산 결과는 $\boxed{}$보다 작아야 합니다.

📓 계산 결과가 조건에 맞는 뺄셈식을 찾아 모두 ○표 하세요.

 **1과 2 사이**

$1-\dfrac{2}{5}$	$2-\dfrac{5}{6}$	$3-2\dfrac{6}{9}$	$4-2\dfrac{1}{8}$

2와 3 사이

$5-2\dfrac{3}{4}$	$3-1\dfrac{5}{8}$	$4-\dfrac{9}{7}$	$6-\dfrac{9}{2}$

1과 2 사이

$1\dfrac{1}{3}-\dfrac{2}{3}$	$3\dfrac{2}{5}-\dfrac{3}{5}$	$3\dfrac{5}{9}-1\dfrac{8}{9}$	$5\dfrac{1}{4}-3\dfrac{2}{4}$

2와 3 사이

$4\dfrac{2}{7}-1\dfrac{6}{7}$	$6\dfrac{2}{4}-4\dfrac{3}{4}$	$3\dfrac{3}{6}-\dfrac{10}{6}$	$5\dfrac{1}{3}-\dfrac{8}{3}$

3과 4 사이

$4\dfrac{2}{7}-\dfrac{11}{7}$	$6\dfrac{1}{5}-\dfrac{13}{5}$	$\dfrac{32}{6}-\dfrac{9}{6}$	$\dfrac{20}{4}-\dfrac{9}{4}$

📘 계산해 보세요.

$5 - \dfrac{5}{6}$

$3 - \dfrac{3}{9}$

$6 - 4\dfrac{1}{5}$

$4 - 3\dfrac{5}{8}$

$3 - \dfrac{10}{7}$

$6 - \dfrac{9}{4}$

$2\dfrac{1}{6} - \dfrac{5}{6}$

$4\dfrac{4}{7} - \dfrac{6}{7}$

$2\dfrac{1}{5} - 1\dfrac{4}{5}$

$5\dfrac{4}{8} - 2\dfrac{7}{8}$

$5\dfrac{2}{4} - \dfrac{19}{4}$

$3\dfrac{4}{9} - \dfrac{17}{9}$

$\dfrac{20}{6} - 1\dfrac{4}{6}$

$\dfrac{22}{5} - 3\dfrac{3}{5}$

분수의 뺄셈을 해 보세요.

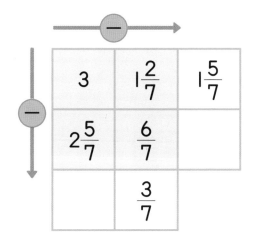

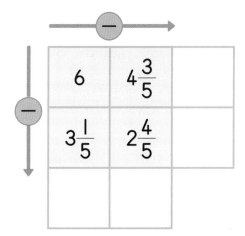

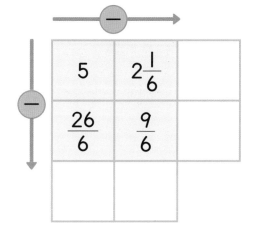

■ 알맞게 색칠하고 답을 구해 보세요.

길이가 **3**m인 끈이 있습니다. 우찬이가 선물을 포장하는 데 I$\frac{3}{4}$m를 사용했습니다. 남은 끈의 길이만큼 색칠하고, 끈이 몇 m 남았는지 구해 보세요.

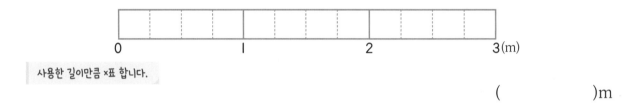

사용한 길이만큼 ×표 합니다.

(   )m

길이가 3$\frac{1}{5}$m인 끈이 있습니다. 지안이가 리본을 만드는 데 $\frac{4}{5}$m를 사용했습니다. 남은 끈의 길이만큼 색칠하고, 끈이 몇 m 남았는지 구해 보세요.

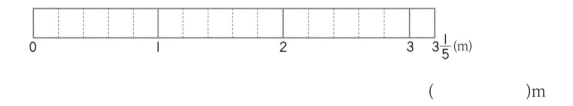

(   )m

길이가 2$\frac{3}{7}$m인 끈이 있습니다. 한울이가 미술 시간에 끈 I$\frac{5}{7}$m를 사용했습니다. 남은 끈의 길이만큼 색칠하고, 끈이 몇 m 남았는지 구해 보세요.

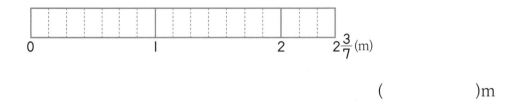

(   )m

■ 물음에 답하세요.

물통에 물 5L가 들어 있습니다. 예원이가 꽃에 물을 주려고 물 $2\frac{1}{3}$L를 사용했습니다. 물통에 남은 물은 몇 L일까요?

식 _____   답 _____ L

수빈이는 주스 3컵을 마셨고 민재는 $1\frac{2}{5}$컵을 마셨습니다. 수빈이는 민재보다 주스를 몇 컵 더 마셨을까요?

식 _____   답 _____ 컵

집에서 은행을 지나 우체국까지 가는 거리는 $3\frac{1}{6}$km입니다. 집에서 은행까지 가는 거리가 $\frac{4}{6}$km라면 은행에서 우체국까지 가는 거리는 몇 km일까요?

식 _____   답 _____ km

사과가 $1\frac{3}{5}$kg 있습니다. 사과를 상자에 담아 무게를 재었더니 $2\frac{1}{5}$kg입니다. 상자의 무게는 몇 kg일까요?

식 _____   답 _____ kg

💬 물음에 답하세요.

연서네 집에 우유가 4L 있습니다. 연서가 $\frac{3}{5}$L, 연지가 $\frac{4}{5}$L를 마셨습니다. 남은 우유는 몇 L일까요?

(   )

윤우는 귤 $6\frac{1}{6}$개를 먹었습니다. 은재는 윤우보다 $1\frac{3}{6}$개 더 적게 먹었고, 소윤이는 은재보다 $\frac{5}{6}$개 더 적게 먹었습니다. 소윤이는 귤을 몇 개 먹었을까요?

(   )

문구점에서 학교까지 가는 거리는 몇 km일까요?

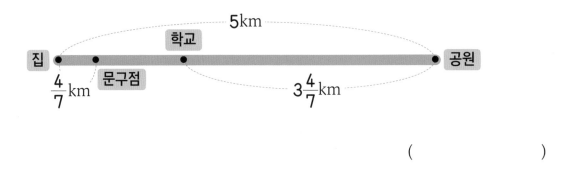

(   )

4주차 분수의 덧셈과 뺄셈

분수의 합과 차

🟦 두 분수의 합과 차를 구해 보세요.

$\dfrac{1}{5}$ $\dfrac{3}{5}$

합 ☐   차 ☐

$\dfrac{8}{10}$ $\dfrac{5}{10}$

합 ☐   차 ☐

$1\dfrac{1}{4}$ $3\dfrac{2}{4}$

합 ☐   차 ☐

$4\dfrac{3}{8}$ $1\dfrac{5}{8}$

합 ☐   차 ☐

$\dfrac{13}{9}$ $2\dfrac{7}{9}$

합 ☐   차 ☐

$\dfrac{16}{5}$ $2\dfrac{3}{5}$

합 ☐   차 ☐

선으로 이어진 두 분수의 합 또는 차를 구하여 아래쪽 빈칸에 써넣으세요.

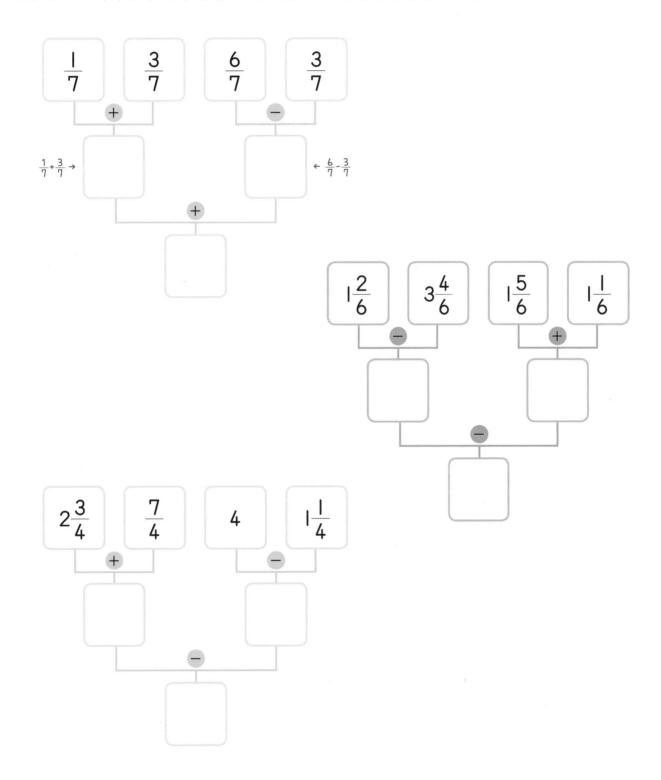

📖 가장 큰 수와 가장 작은 수의 합을 구해 보세요.

$\dfrac{4}{10}$ $\dfrac{9}{10}$ $\dfrac{3}{10}$

$\boxed{} + \boxed{} = \underline{}$

가장 큰 수: $\dfrac{9}{10}$, 가장 작은 수: $\dfrac{3}{10}$

$2\dfrac{3}{5}$ $2\dfrac{4}{5}$ $3\dfrac{2}{5}$

$\boxed{} + \boxed{} = \underline{}$

$\dfrac{13}{7}$ $\dfrac{10}{7}$ $\dfrac{6}{7}$

$\boxed{} + \boxed{} = \underline{}$

$1\dfrac{1}{3}$ $2\dfrac{1}{3}$ $\dfrac{6}{3}$

$\boxed{} + \boxed{} = \underline{}$

$\dfrac{14}{6}$ $1\dfrac{2}{6}$ $\dfrac{20}{6}$

$\boxed{} + \boxed{} = \underline{}$

가장 큰 수와 가장 작은 수의 차를 구해 보세요.

$\dfrac{7}{9}$ $\dfrac{3}{9}$ $\dfrac{6}{9}$

$\boxed{} - \boxed{} = \underline{}$

$1\dfrac{2}{4}$ $1\dfrac{3}{4}$ $3\dfrac{2}{4}$

$\boxed{} - \boxed{} = \underline{}$

$\dfrac{16}{8}$ $\dfrac{9}{8}$ $\dfrac{21}{8}$

$\boxed{} - \boxed{} = \underline{}$

$3\dfrac{3}{5}$ $\dfrac{24}{5}$ $\dfrac{19}{5}$

$\boxed{} - \boxed{} = \underline{}$

$\dfrac{23}{6}$ $4\dfrac{1}{6}$ $4\dfrac{2}{6}$

$\boxed{} - \boxed{} = \underline{}$

 두 수를 골라 빈칸에 써넣어 계산 결과가 가장 큰 덧셈식을 만들고 계산해 보세요.

| 1 | 3 | 2 |

$$\frac{\Box}{6} + \frac{\Box}{6} = \underline{\qquad}$$

| 5 | 9 | 6 |

$$\frac{\Box}{4} + \frac{\Box}{4} = \underline{\qquad}$$

| 2 | 5 | 3 |

$$\Box\frac{1}{5} + \Box\frac{3}{5} = \underline{\qquad}$$

| 3 | 1 | 4 |

$$\Box\frac{5}{8} + \Box\frac{3}{8} = \underline{\qquad}$$

| 3 | 4 | 6 |

$$\Box\frac{2}{7} + 1\frac{\Box}{7} = \underline{\qquad}$$

대분수가 크려면 자연수 부분이 커야 합니다.

| 4 | 2 | 3 |

$$\Box\frac{4}{6} + 2\frac{\Box}{6} = \underline{\qquad}$$

| 4 | 3 | 1 |

$$3\frac{\Box}{8} + \Box\frac{2}{8} = \underline{\qquad}$$

| 3 | 7 | 5 |

$$1\frac{\Box}{9} + \Box\frac{5}{9} = \underline{\qquad}$$

📖 두 수를 골라 써넣어 합이 가장 작은 식을 만들고 계산해 보세요.

$\dfrac{1}{8}$ $\dfrac{5}{8}$ $\dfrac{2}{8}$

□ + □ = ___

$\dfrac{6}{12}$ $\dfrac{11}{12}$ $\dfrac{7}{12}$

□ + □ = ___

$2\dfrac{3}{7}$ $3\dfrac{1}{7}$ $1\dfrac{4}{7}$

□ + □ = ___

$4\dfrac{3}{6}$ $2\dfrac{2}{6}$ $4\dfrac{5}{6}$

□ + □ = ___

$\dfrac{10}{9}$ $1\dfrac{2}{9}$ $1\dfrac{7}{9}$

□ + □ = ___

$\dfrac{45}{10}$ $3\dfrac{9}{10}$ $\dfrac{36}{10}$

□ + □ = ___

크고 작은 차

두 수를 골라 빈칸에 써넣어 계산 결과가 가장 큰 뺄셈식을 만들고 계산해 보세요.

| 1 | 7 | 5 |

$$\frac{\square}{8} - \frac{\square}{8} = \underline{\qquad}$$

| 5 | 4 | 9 |

$$\frac{\square}{5} - \frac{\square}{5} = \underline{\qquad}$$

| 2 | 3 | 1 |

$$\square - \frac{\square}{6} = \underline{\qquad}$$

| 8 | 4 | 5 |

$$\square - 1\frac{\square}{9} = \underline{\qquad}$$

| 1 | 2 | 3 |

$$\square\frac{3}{4} - 1\frac{\square}{4} = \underline{\qquad}$$

| 5 | 3 | 6 |

$$\square\frac{2}{7} - 2\frac{\square}{7} = \underline{\qquad}$$

| 2 | 3 | 4 |

$$5\frac{\square}{5} - \square\frac{3}{5} = \underline{\qquad}$$

| 5 | 1 | 3 |

$$4\frac{\square}{8} - \square\frac{7}{8} = \underline{\qquad}$$

두 수를 골라 써넣어 차가 가장 작은 식을 만들고 계산해 보세요.

$\dfrac{4}{9}$ $\dfrac{8}{9}$ $\dfrac{7}{9}$

$\boxed{} - \boxed{} = \underline{}$

$\dfrac{3}{10}$ $\dfrac{5}{10}$ $\dfrac{9}{10}$

$\boxed{} - \boxed{} = \underline{}$

$1\dfrac{1}{4}$ $1\dfrac{3}{4}$ $2\dfrac{3}{4}$

$\boxed{} - \boxed{} = \underline{}$

$3\dfrac{2}{5}$ $2\dfrac{2}{5}$ $1\dfrac{1}{5}$

$\boxed{} - \boxed{} = \underline{}$

2 4 $3\dfrac{4}{7}$

$\boxed{} - \boxed{} = \underline{}$

5 $\dfrac{5}{6}$ $2\dfrac{2}{6}$

$\boxed{} - \boxed{} = \underline{}$

목표수 만들기

■ 두 수의 합이 자연수가 되는 두 수를 찾아 각각 ○표 하세요.

$\dfrac{4}{8}$ $\dfrac{3}{8}$ $\dfrac{5}{8}$

$\dfrac{3}{5}$ $\dfrac{4}{5}$ $\dfrac{7}{5}$

$1\dfrac{2}{7}$ $2\dfrac{5}{7}$ $3\dfrac{6}{7}$

$2\dfrac{1}{4}$ $1\dfrac{2}{4}$ $3\dfrac{2}{4}$

$\dfrac{7}{6}$ $\dfrac{11}{6}$ $\dfrac{15}{6}$

$\dfrac{15}{9}$ $\dfrac{14}{9}$ $\dfrac{12}{9}$

$2\dfrac{4}{8}$ $3\dfrac{3}{8}$ $\dfrac{4}{8}$

$1\dfrac{2}{5}$ $\dfrac{8}{5}$ $2\dfrac{4}{5}$

$\dfrac{15}{7}$ $\dfrac{12}{7}$ $1\dfrac{6}{7}$

$3\dfrac{5}{6}$ $\dfrac{14}{6}$ $\dfrac{22}{6}$

두 수를 골라 써넣어 식을 완성해 보세요.

$\dfrac{3}{4}$ $\dfrac{5}{4}$ $\dfrac{2}{4}$

$\boxed{} + \boxed{} = 1\dfrac{3}{4}$

$2\dfrac{3}{7}$ $2\dfrac{4}{7}$ $2\dfrac{5}{7}$

$\boxed{} + \boxed{} = 5\dfrac{1}{7}$

$\dfrac{2}{8}$ $\dfrac{9}{8}$ $\dfrac{5}{8}$

$\boxed{} - \boxed{} = \dfrac{4}{8}$

$1\dfrac{2}{6}$ $3\dfrac{4}{6}$ $5\dfrac{5}{6}$

$\boxed{} - \boxed{} = 2\dfrac{2}{6}$

$3\dfrac{2}{5}$ $2\dfrac{3}{5}$ $4\dfrac{1}{5}$

$\boxed{} - \boxed{} = 1\dfrac{3}{5}$

$1\dfrac{1}{4}$ $5\dfrac{1}{4}$ $\dfrac{15}{4}$

$\boxed{} - \boxed{} = 1\dfrac{2}{4}$

📘 조건에 맞는 분수의 합 또는 차를 구해 보세요.

분모가 **3**인 모든 진분수의 합

(　　　　　　)

분모가 **5**인 모든 진분수의 합

(　　　　　　)

분모가 **8**이면서 $\dfrac{4}{8}$보다 큰 모든 진분수의 합

(　　　　　　)

분모가 **9**인 가장 작은 진분수와 가장 큰 진분수의 차

(　　　　　　)

분모가 **13**인 가장 작은 진분수와 가장 큰 진분수의 차

(　　　　　　)

진분수의 합과 차

진분수의 덧셈식과 뺄셈식입니다. 여러 가지 방법으로 식을 완성해 보세요.

(단, $\dfrac{1}{4}+\dfrac{2}{4}$와 $\dfrac{2}{4}+\dfrac{1}{4}$처럼 위치만 바뀐 것은 같은 식으로 생각합니다.)

$$\frac{\boxed{1}}{7}+\frac{\boxed{5}}{7}=\frac{6}{7}$$

$$\frac{\boxed{}}{7}+\frac{\boxed{}}{7}=\frac{6}{7}$$

$$\frac{\boxed{}}{7}+\frac{\boxed{}}{7}=\frac{6}{7}$$

$$\frac{\boxed{}}{8}-\frac{\boxed{}}{8}=\frac{4}{8}$$

$$\frac{\boxed{}}{8}-\frac{\boxed{}}{8}=\frac{4}{8}$$

$$\frac{\boxed{}}{8}-\frac{\boxed{}}{8}=\frac{4}{8}$$

$$\frac{\boxed{}}{7}-\frac{\boxed{}}{7}=\frac{2}{7}$$

$$\frac{\boxed{}}{7}-\frac{\boxed{}}{7}=\frac{2}{7}$$

$$\frac{\boxed{}}{7}-\frac{\boxed{}}{7}=\frac{2}{7}$$

$$\frac{\boxed{}}{7}-\frac{\boxed{}}{7}=\frac{2}{7}$$

$$\frac{\boxed{}}{8}+\frac{\boxed{}}{8}=1$$

$$\frac{\boxed{}}{8}+\frac{\boxed{}}{8}=1$$

$$\frac{\boxed{}}{8}+\frac{\boxed{}}{8}=1$$

$$\frac{\boxed{}}{8}+\frac{\boxed{}}{8}=1$$

■ 진분수 2개의 합과 차입니다. 두 진분수를 구해 보세요.

분모가 6

합: $\dfrac{5}{6}$ 차: $\dfrac{1}{6}$

(,   )

분모가 8

합: $\dfrac{7}{8}$ 차: $\dfrac{5}{8}$

(,   )

분모가 11

합: $\dfrac{8}{11}$ 차: $\dfrac{4}{11}$

(,   )

분모가 7

합: 1 차: $\dfrac{1}{7}$

(,   )

분모가 9

합: 1 차: $\dfrac{3}{9}$

(,   )

분모가 4

합: $1\dfrac{1}{4}$ 차: $\dfrac{1}{4}$

(,   )

분모가 5

합: $1\dfrac{1}{5}$ 차: $\dfrac{2}{5}$

(,   )

분모가 10

합: $1\dfrac{2}{10}$ 차: $\dfrac{6}{10}$

(,   )

대분수의 합과 차

📘 대분수의 덧셈식과 뺄셈식입니다. ⭐과 ♥에 들어갈 수 있는 수를 모두 구해 보세요.

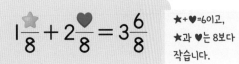

$1\frac{⭐}{8} + 2\frac{♥}{8} = 3\frac{6}{8}$

⭐+♥=6이고,
⭐과 ♥는 8보다
작습니다.

⭐	1	2		
♥	5	4		

$2\frac{⭐}{9} + 3\frac{♥}{9} = 5\frac{4}{9}$

⭐			
♥			

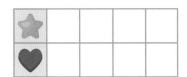

$1\frac{⭐}{6} + 2\frac{♥}{6} = 3\frac{5}{6}$

⭐				
♥				

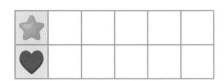

$2\frac{⭐}{7} + 2\frac{♥}{7} = 4\frac{6}{7}$

⭐				
♥				

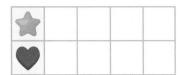

$2\frac{⭐}{6} - 1\frac{♥}{6} = 1\frac{1}{6}$

⭐-♥=1이고,
⭐과 ♥는 6보다
작습니다.

⭐			
♥			

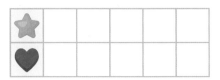

$4\frac{⭐}{8} - 2\frac{♥}{8} = 2\frac{2}{8}$

⭐				
♥				

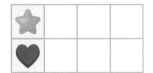

$3\frac{⭐}{5} - 1\frac{♥}{5} = 2\frac{1}{5}$

⭐		
♥		

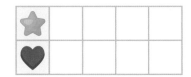

$5\frac{⭐}{8} - 4\frac{♥}{8} = 1\frac{3}{8}$

⭐			
♥			

📘 대분수의 뺄셈식입니다. ⭐+❤️가 가장 크거나 가장 작을 때의 값을 구해 보세요.

$$4\frac{⭐}{7} - 1\frac{❤️}{7} = 3\frac{4}{7}$$

가장 클 때: (   )

$$4\frac{⭐}{5} - 1\frac{❤️}{5} = 3\frac{1}{5}$$

가장 클 때: (   )

$$3\frac{⭐}{6} - 2\frac{❤️}{6} = 1\frac{3}{6}$$

가장 클 때: (   )

$$5\frac{⭐}{9} - 3\frac{❤️}{9} = 2\frac{4}{9}$$

가장 클 때: (   )

$$5\frac{⭐}{6} - 1\frac{❤️}{6} = 4\frac{1}{6}$$

가장 작을 때: (   )

$$4\frac{⭐}{5} - 3\frac{❤️}{5} = 1\frac{2}{5}$$

가장 작을 때: (   )

$$3\frac{⭐}{8} - 1\frac{❤️}{8} = 2\frac{3}{8}$$

가장 작을 때: (   )

$$6\frac{⭐}{9} - 4\frac{❤️}{9} = 2\frac{4}{9}$$

가장 작을 때: (   )

어떤 수 구하기

■ 빈칸에 알맞은 수를 써넣으세요.

$\boxed{} + \dfrac{2}{8} = \dfrac{7}{8}$

$\dfrac{7}{8} - \dfrac{2}{8} = \square$

$\dfrac{6}{11} + \boxed{} = \dfrac{9}{11}$

$\boxed{} + 2\dfrac{4}{7} = 3\dfrac{6}{7}$

$1\dfrac{3}{5} + \boxed{} = 2$

$\boxed{} + 1\dfrac{5}{6} = 4\dfrac{2}{6}$

$2\dfrac{2}{3} + \boxed{} = 4\dfrac{1}{3}$

$\boxed{} - \dfrac{7}{9} = \dfrac{1}{9}$

$\dfrac{1}{9} + \dfrac{7}{9} = \square$

$\dfrac{7}{10} - \boxed{} = \dfrac{4}{10}$

$\dfrac{7}{10} - \dfrac{4}{10} = \square$

$\boxed{} - 2\dfrac{3}{6} = 1\dfrac{2}{6}$

$5\dfrac{6}{9} - \boxed{} = 2\dfrac{2}{9}$

$\boxed{} - \dfrac{5}{8} = 1\dfrac{3}{8}$

$3\dfrac{2}{7} - \boxed{} = 1\dfrac{4}{7}$

📖 물음에 답하세요.

어떤 수에서 $\frac{2}{5}$ 를 뺐더니 $1\frac{1}{5}$ 이 되었습니다.
어떤 수는 얼마일까요?

(   )

어떤 수에서 $\frac{5}{9}$ 를 더했더니 $1\frac{8}{9}$ 이 되었습니다.
어떤 수는 얼마일까요?

(   )

어떤 수에서 $1\frac{2}{6}$ 를 뺐더니 $1\frac{5}{6}$ 가 되었습니다.
어떤 수는 얼마일까요?

(   )

어떤 수에서 $1\frac{3}{4}$ 을 더했더니 $3\frac{2}{4}$ 가 되었습니다.
어떤 수는 얼마일까요?

(   )

어떤 수에서 $\frac{8}{3}$ 을 뺐더니 $2\frac{1}{3}$ 이 되었습니다.
어떤 수는 얼마일까요?

(   )

📖 물음에 답하세요.

현수가 잼을 만드는 데 설탕 $\frac{4}{6}$kg을 사용했더니 설탕이 $\frac{1}{6}$kg 남았습니다. 처음에 있던 설탕은 몇 kg이었을까요?

(처음에 있던 설탕)$-\frac{4}{6}=\frac{1}{6}$

(   )

재영이가 꽃을 심으려고 화분에 흙 $1\frac{2}{5}$kg을 부었더니 화분에 있는 흙이 $4\frac{4}{5}$kg이 되었습니다. 처음에 화분에 있던 흙은 몇 kg이었을까요?

(   )

연지가 사과 $2\frac{3}{4}$개를 먹었더니 사과가 $1\frac{1}{4}$개 남았습니다. 처음에 있던 사과는 몇 개였을까요?

(   )

상자에 참외 $2\frac{5}{6}$kg을 넣고 무게를 재었더니 $3\frac{3}{6}$kg이었습니다. 참외를 넣기 전 상자의 무게는 몇 kg이었을까요?

(   )

📖 물음에 답하세요.

가 그릇에서 물 $\frac{3}{5}$L를 나 그릇에 부었더니 두 그릇에 담긴 물이 각각 $\frac{4}{5}$L가 되었습니다. 처음에 두 그릇에 담겨 있던 물은 각각 몇 L였을까요?

가 그릇의 물의 양은 줄었고,
나 그릇의 물의 양은 늘어났습니다.

가 그릇: (   )　　나 그릇: (   )

승아가 주한이에게 찰흙 $2\frac{1}{4}$kg을 주었더니 두 사람이 가진 찰흙이 각각 3kg이 되었습니다. 처음에 승아와 주한이는 찰흙을 각각 몇 kg 갖고 있었을까요?

승아: (   )　　주한: (   )

성우가 아진이에게 밀가루 $1\frac{2}{3}$kg을 주었더니 두 사람이 가진 밀가루가 각각 $3\frac{1}{3}$kg이 되었습니다. 처음에 성우와 아진이는 밀가루를 각각 몇 kg 갖고 있었을까요?

성우: (   )　　아진: (   )

📖 빈 곳에 알맞은 수를 써넣으세요.

> 덧셈은 뺄셈으로, 뺄셈은 덧셈으로
> 바꾸면서 거꾸로 계산합니다.

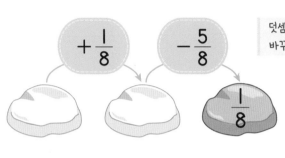

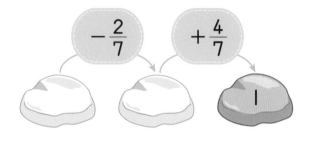

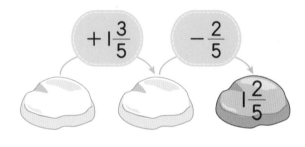

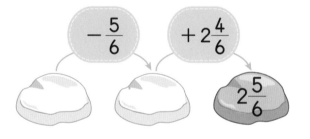

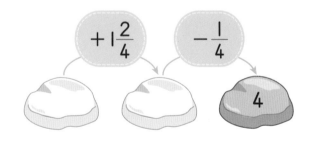

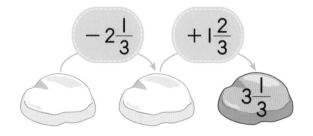

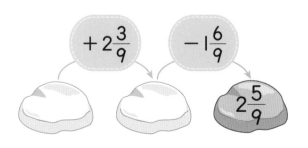

📖 물음에 답하세요.

진서가 컵에 있던 우유 중에 $\frac{2}{8}$L를 마시고 나서 $\frac{3}{8}$L를 더 부었더니 컵에 있는 우유가 $\frac{4}{8}$L가 되었습니다. 처음에 컵에 있던 우유는 몇 L였는지 물음에 답하세요.

지금 컵에 있는 우유는 몇 L인가요?

(　　　　　　)

우유를 더 붓기 전 컵에 있던 우유는 몇 L였을까요?

(　　　　　　)

우유를 마시기 전 처음에 컵에 있던 우유는 몇 L였을까요?

(　　　　　　)

📖 물음에 답하세요.

유진이는 물이 들어 있는 물통에 물 $\frac{3}{4}$ L를 더 붓고 나서 나무에 물을 주려고 $1\frac{1}{4}$ L를 사용했습니다. 남은 물이 $\frac{1}{4}$ L라면 처음 물통에 들어 있던 물은 몇 L였을까요?

나무에 물을 주기 전에 물이 얼마
있었는지부터 구합니다.

(   )

연우는 주스를 만드는 데 설탕 $2\frac{2}{3}$ 컵을 사용하고, 쿠키를 만드는 데 설탕 $1\frac{1}{3}$ 컵을 사용했습니다. 남은 설탕이 1컵이라면 처음에 있던 설탕은 몇 컵이었을까요?

(   )

민석이는 빵을 만드는 데 밀가루가 부족하여 $1\frac{2}{5}$ kg을 더 샀습니다. 민석이가 밀가루 $2\frac{1}{5}$ kg으로 빵을 만들고 나니 $\frac{4}{5}$ kg이 남았습니다. 처음에 있던 밀가루는 몇 kg이었을까요?

(   )

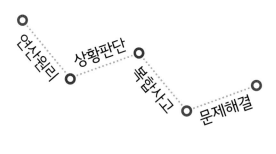

하루 한 장 75일
집중 완성

교과
연산

정답

초4

D2

분수의 덧셈과 뺄셈

HERO

정답

8·9쪽

 진분수 덧셈

월 일

■ 알맞게 색칠하고 분수의 덧셈을 해 보세요.

$\dfrac{1}{4} + \dfrac{2}{4} = \dfrac{\boxed{3}}{\boxed{4}}$

4칸
색칠하면
정답입니다.

$\dfrac{3}{5} + \dfrac{1}{5} = \dfrac{\boxed{4}}{\boxed{5}}$

6칸
색칠하면
정답입니다.

$\dfrac{2}{7} + \dfrac{4}{7} = \dfrac{\boxed{6}}{\boxed{7}}$

3칸
색칠하면
정답입니다.

$\dfrac{2}{3} + \dfrac{1}{3} = \boxed{1}$

$\dfrac{5}{6} + \dfrac{2}{6} = \boxed{1}\dfrac{\boxed{1}}{\boxed{6}}$

$\dfrac{3}{5} + \dfrac{4}{5} = \boxed{1}\dfrac{\boxed{2}}{\boxed{5}}$

큰 사각형 1개와 작은 2칸을
색칠하면 정답입니다.

■ 수직선을 이용하여 분수의 덧셈을 해 보세요.

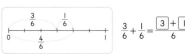

$\dfrac{3}{6} + \dfrac{1}{6} = \dfrac{\boxed{3}+\boxed{1}}{6} = \dfrac{\boxed{4}}{6}$

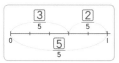

$\dfrac{3}{5} + \dfrac{2}{5} = \dfrac{\boxed{3}+\boxed{2}}{5} = \dfrac{\boxed{5}}{5} = \boxed{1}$

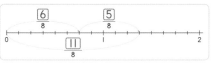

$\dfrac{6}{8} + \dfrac{5}{8} = \dfrac{\boxed{6}+\boxed{5}}{8} = \dfrac{\boxed{11}}{\boxed{8}} = \boxed{1}\dfrac{\boxed{3}}{\boxed{8}}$

❋ 분모가 같은 분수의 덧셈

$\dfrac{1}{4}$은 $\dfrac{1}{4}$이 1개, $\dfrac{2}{4}$는 $\dfrac{1}{4}$이 2개이므로 $\dfrac{1}{4} + \dfrac{2}{4}$는 $\dfrac{1}{4}$이 3개입니다. ➡ $\dfrac{1}{4} + \dfrac{2}{4} = \dfrac{1+2}{4} = \dfrac{3}{4}$
따라서 분모가 같은 분수의 덧셈에서는 분모는 그대로 두고 분자만 더합니다.

10·11쪽

 대분수 덧셈

월 일

■ 알맞게 색칠하고 분수의 덧셈을 해 보세요.

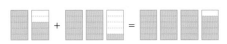

$1\dfrac{3}{5} + 2\dfrac{1}{5} = (1+\boxed{2}) + (\dfrac{3}{5} + \dfrac{\boxed{1}}{5}) = \boxed{3} + \dfrac{\boxed{4}}{5} = \boxed{3}\dfrac{\boxed{4}}{5}$

자연수 부분끼리, 진분수 부분끼리 각각 더하여 계산할 수 있습니다.

큰 사각형 3개와 작은 7칸을
색칠하면 정답입니다.

$2\dfrac{2}{8} + 1\dfrac{5}{8} = (2+\boxed{1}) + (\dfrac{2}{8} + \dfrac{5}{8}) = \boxed{3} + \dfrac{\boxed{7}}{8} = \boxed{3}\dfrac{\boxed{7}}{8}$

큰 사각형 3개와 작은 1칸을
색칠하면 정답입니다.

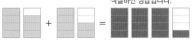

$1\dfrac{3}{4} + 1\dfrac{2}{4} = (\boxed{1}+1) + (\dfrac{3}{4} + \dfrac{2}{4}) = 2 + \dfrac{\boxed{5}}{4}$

$= 2 + \boxed{1}\dfrac{\boxed{1}}{\boxed{4}} = \boxed{3}\dfrac{\boxed{1}}{\boxed{4}}$

■ 수직선을 이용하여 분수의 덧셈을 해 보세요.

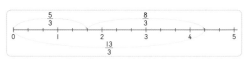

대분수를 가분수로 바꾸어 분자끼리 더할 수 있습니다.

$1\dfrac{2}{3} + 2\dfrac{2}{3} = \dfrac{5}{3} + \dfrac{8}{3} = \dfrac{\boxed{13}}{3} = \boxed{4}\dfrac{\boxed{1}}{\boxed{3}}$

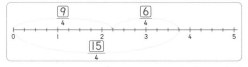

$2\dfrac{1}{4} + 1\dfrac{2}{4} = \dfrac{\boxed{9}}{4} + \dfrac{\boxed{6}}{4} = \dfrac{\boxed{15}}{4} = \boxed{3}\dfrac{\boxed{3}}{\boxed{4}}$

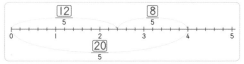

$2\dfrac{2}{5} + 1\dfrac{3}{5} = \dfrac{\boxed{12}}{5} + \dfrac{\boxed{8}}{5} = \dfrac{\boxed{20}}{5} = \boxed{4}$

28 두 분수의 합

일

월 일

■ 계산해 보세요.

$\frac{1}{8}+\frac{4}{8}=\frac{5}{8}$ ㅤㅤ $\frac{3}{10}+\frac{6}{10}=\frac{9}{10}$

$\frac{2}{9}+\frac{7}{9}=1$ 또는 $\frac{9}{9}$ ㅤㅤ $\frac{6}{7}+\frac{4}{7}=1\frac{3}{7}$ 또는 $\frac{10}{7}$

$3\frac{2}{5}+2\frac{1}{5}=5\frac{3}{5}$ 또는 $\frac{28}{5}$ ㅤㅤ $2\frac{3}{8}+4\frac{4}{8}=6\frac{7}{8}$ 또는 $\frac{55}{8}$

$1\frac{5}{6}+3\frac{4}{6}=5\frac{3}{6}$ 또는 $\frac{33}{6}$ ㅤㅤ $5\frac{7}{9}+1\frac{4}{9}=7\frac{2}{9}$ 또는 $\frac{65}{9}$

$4\frac{2}{7}+\frac{3}{7}=4\frac{5}{7}$ 또는 $\frac{33}{7}$ ㅤㅤ $2\frac{3}{5}+\frac{4}{5}=3\frac{2}{5}$ 또는 $\frac{17}{5}$

$\frac{1}{8}+5\frac{2}{8}=5\frac{3}{8}$ 또는 $\frac{43}{8}$ ㅤㅤ $\frac{5}{3}+3\frac{2}{3}=5\frac{1}{3}$ 또는 $\frac{16}{3}$

$\frac{9}{4}+\frac{3}{4}=3$ 또는 $\frac{12}{4}$ ㅤㅤ $\frac{10}{6}+\frac{7}{6}=2\frac{5}{6}$ 또는 $\frac{17}{6}$

■ 분수의 덧셈을 해 보세요.

+	$\frac{1}{3}$	$\frac{4}{3}$	$\frac{5}{3}$
$\frac{1}{3}$	$\frac{2}{3}$	$1\frac{2}{3}$	2

또는 $\frac{5}{3}$ ㅤ $\frac{6}{3}$

+	$\frac{5}{9}$	$\frac{7}{9}$	$\frac{10}{9}$
$\frac{2}{9}$	$\frac{7}{9}$	1	$1\frac{3}{9}$

또는 $\frac{9}{9}$

+	$\frac{3}{11}$	$\frac{5}{11}$	$\frac{8}{11}$
$\frac{4}{11}$	$\frac{7}{11}$	$\frac{9}{11}$	$1\frac{1}{11}$

또는 $\frac{12}{11}$

+	$\frac{1}{6}$	$\frac{4}{6}$	$\frac{8}{6}$
$\frac{7}{6}$	$1\frac{2}{6}$	$1\frac{5}{6}$	$2\frac{3}{6}$

또는 $\frac{8}{6}$ ㅤ $\frac{11}{6}$ ㅤ $\frac{15}{6}$

+	$\frac{2}{5}$	$2\frac{1}{5}$	$3\frac{3}{5}$
$2\frac{2}{5}$	$2\frac{4}{5}$	$4\frac{3}{5}$	6

또는 $\frac{14}{5}$ ㅤ $\frac{23}{5}$ ㅤ $\frac{30}{5}$

+	$\frac{5}{7}$	$2\frac{6}{7}$	$5\frac{2}{7}$
$1\frac{3}{7}$	$2\frac{1}{7}$	$4\frac{2}{7}$	$6\frac{5}{7}$

또는 $\frac{15}{7}$ ㅤ $\frac{30}{7}$ ㅤ $\frac{47}{7}$

+	$1\frac{7}{8}$	$3\frac{2}{8}$	$4\frac{5}{8}$
$\frac{5}{8}$	$2\frac{4}{8}$	$3\frac{7}{8}$	$5\frac{2}{8}$

또는 $\frac{20}{8}$ ㅤ $\frac{31}{8}$ ㅤ $\frac{42}{8}$

+	$2\frac{4}{4}$	$3\frac{1}{4}$	$3\frac{3}{4}$
$\frac{5}{4}$	$3\frac{3}{4}$	$4\frac{2}{4}$	5

또는 $\frac{15}{4}$ ㅤ $\frac{18}{4}$ ㅤ $\frac{20}{4}$

29 □가 있는 덧셈

월 일

■ 빈칸에 알맞은 수를 써넣으세요.

$\frac{2}{7}+\frac{\boxed{3}}{7}=\frac{5}{7}$
2+□=5

$\frac{\boxed{4}}{10}+\frac{5}{10}=\frac{9}{10}$

$\frac{3}{5}+\frac{\boxed{4}}{5}=1\frac{2}{5}=\frac{7}{5}$
$1\frac{2}{5}=\frac{7}{5}$

$\frac{\boxed{5}}{6}+\frac{5}{6}=1\frac{4}{6}=\frac{10}{6}$

$\frac{4}{3}+\frac{\boxed{2}}{3}=2=\frac{6}{3}$

$\frac{\boxed{6}}{4}+\frac{5}{4}=2\frac{3}{4}=\frac{11}{4}$

$1\frac{5}{8}+2\frac{\boxed{2}}{8}=3\frac{7}{8}$
자연수 부분: 1+2=3
진분수의 분자: 5+□=7

$3\frac{\boxed{1}}{7}+1\frac{7}{7}=4\frac{8}{7}$
자연수 부분: 3+1=4
진분수의 분자: □+7=8

$2\frac{4}{5}+\frac{\boxed{7}}{5}=4\frac{1}{5}$
$\frac{14}{5}+\frac{\square}{5}=\frac{21}{5}$

$\frac{\boxed{11}}{7}+1\frac{6}{7}=3\frac{3}{7}$
$\frac{\square}{7}+\frac{13}{7}=\frac{24}{7}$

$3\frac{1}{4}+\frac{\boxed{3}}{4}=4$
$\frac{13}{4}+\frac{\square}{4}=\frac{16}{4}$

$\frac{\boxed{20}}{8}+1\frac{5}{8}=4\frac{1}{8}$
$\frac{\square}{8}+\frac{13}{8}=\frac{33}{8}$

■ □ 안에 들어갈 수 있는 수를 모두 써 보세요. (단, □ 안에 들어가는 수는 0보다 큽니다.)

$\frac{2}{8}+\frac{2}{8}>\frac{\square}{8}$
(1, 2, 3)
$\frac{4}{8}>\frac{\square}{8}$

$1\frac{1}{7}+2\frac{2}{7}<3\frac{\square}{7}$
(4, 5, 6)
$3\frac{3}{7}<3\frac{\square}{7}$

$\frac{7}{6}+\frac{1}{6}<1\frac{\square}{6}$
(3, 4, 5)
$1\frac{2}{6}<1\frac{\square}{6}$

$\frac{3}{11}+\frac{\square}{11}<\frac{8}{11}$
(1, 2, 3, 4)
$\frac{3}{11}+\frac{5}{11}=\frac{8}{11}$

$\frac{2}{9}+1\frac{\square}{9}>1\frac{6}{9}$
(5, 6, 7, 8)
$\frac{2}{9}+1\frac{4}{9}=1\frac{6}{9}$

$\frac{\square}{8}+\frac{4}{8}<1\frac{1}{8}$
(1, 2, 3, 4)
$\frac{5}{8}+\frac{4}{8}=\frac{9}{8}$

$\frac{4}{6}<\frac{2}{6}+\frac{\square}{6}<\frac{9}{6}$
(3, 4, 5, 6)
$\frac{4}{6}=\frac{2}{6}+\frac{2}{6}, \frac{2}{6}+\frac{7}{6}=\frac{9}{6}$

$1<\frac{\square}{4}+\frac{3}{4}<2$
(2, 3, 4)
$\frac{4}{4}=\frac{1}{4}+\frac{3}{4}, \frac{5}{4}+\frac{3}{4}=\frac{8}{4}$

16·17쪽

30일 이야기하기

월 일

■ 알맞게 색칠하고 답을 구해 보세요.

미술 시간에 진성이는 끈을 $\frac{4}{9}$ m 사용했고 기우는 $\frac{3}{9}$ m 사용했습니다. 두 사람이 사용한 끈 길이만큼 색칠하고, 모두 몇 m 사용했는지 구해 보세요.

0   1 (m)

7칸을 색칠하면 정답입니다.

($\frac{7}{9}$)m

$\frac{4}{9}+\frac{3}{9}=\frac{7}{9}$(m)

지수는 사과를 $1\frac{3}{4}$개 먹었고 윤후는 $2\frac{2}{4}$개 먹었습니다. 두 사람이 먹은 사과 수만큼 색칠하고, 모두 몇 개 먹었는지 구해 보세요.

원 4개와 작은 1칸을 색칠하면 정답입니다.

($4\frac{1}{4}$)개

또는 $\frac{17}{4}$

$1\frac{3}{4}+2\frac{2}{4}=3+\frac{5}{4}=3+1\frac{1}{4}=4\frac{1}{4}$(개)

수민이는 우유를 어제는 $1\frac{2}{5}$컵, 오늘은 $\frac{6}{5}$컵 마셨습니다. 수민이가 어제와 오늘 마신 우유 양만큼 색칠하고, 모두 몇 컵 먹었는지 구해 보세요.

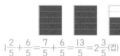

사각형 2개와 작은 3칸을 색칠하면 정답입니다.

($2\frac{3}{5}$)컵

또는 $\frac{13}{5}$

$1\frac{2}{5}+\frac{6}{5}=\frac{7}{5}+\frac{6}{5}=\frac{13}{5}=2\frac{3}{5}$(컵)

16 교과연산 D2

■ 물음에 답하세요.

현수가 어제는 $\frac{4}{6}$시간, 오늘은 $\frac{1}{6}$시간 동안 그림을 그렸습니다. 현수가 어제와 오늘 그림을 그린 시간은 모두 몇 시간일까요?

식 $\frac{4}{6}+\frac{1}{6}=\frac{5}{6}$ 답 $\frac{5}{6}$ 시간

집에서 학교까지 가는 거리는 $\frac{5}{7}$km, 학교에서 도서관까지 가는 거리는 $\frac{10}{7}$km입니다. 집에서 학교를 지나 도서관까지 가는 거리는 모두 몇 km일까요?

식 $\frac{5}{7}+\frac{10}{7}=2\frac{1}{7}$ 답 $2\frac{1}{7}$ km

또는 $\frac{15}{7}$

승아네 집에 우유가 $2\frac{6}{10}$L 있고, 주스는 우유보다 $1\frac{7}{10}$L 더 많이 있습니다. 주스는 몇 L 있을까요?

식 $2\frac{6}{10}+1\frac{7}{10}=4\frac{3}{10}$ 답 $4\frac{3}{10}$ L

또는 $\frac{43}{10}$

양동이에 물이 $3\frac{2}{5}$L 들어 있었는데 $\frac{11}{5}$L를 더 부었습니다. 양동이에 들어 있는 물은 모두 몇 L일까요?

식 $3\frac{2}{5}+\frac{11}{5}=5\frac{3}{5}$ 답 $5\frac{3}{5}$ L

또는 $\frac{28}{5}$

식을 쓸 때 대분수를 가분수로, 가분수를 대분수로 나타내어도 정답입니다.

1주차 분수의 덧셈 17

18쪽

■ 물음에 답하세요.

사과의 무게는 $\frac{1}{5}$kg, 배는 $\frac{3}{5}$kg, 파인애플은 $\frac{12}{5}$kg입니다. 세 과일 무게의 합은 몇 kg일까요?

$\frac{1}{5}+\frac{3}{5}=\frac{4}{5}$(kg), $\frac{4}{5}+\frac{12}{5}=3\frac{1}{5}$(kg)

($3\frac{1}{5}$kg)

또는 $\frac{16}{5}$kg

지은이는 $\frac{3}{12}$시간 동안 걷고, 1시간 동안 버스를 타고, 다시 $\frac{2}{12}$시간 동안 걸어서 할머니 댁에 도착했습니다. 할머니 댁에 도착하기까지 걸린 시간은 몇 시간일까요?

$\frac{3}{12}+1=1\frac{3}{12}$(시간), $1\frac{3}{12}+\frac{2}{12}=1\frac{5}{12}$(시간)

($1\frac{5}{12}$시간)

또는 $\frac{17}{12}$시간

세연이는 사과를 $1\frac{2}{6}$개 먹었습니다. 민재는 세연이보다 $\frac{7}{6}$개 더 먹었고, 두호는 민재보다 $\frac{3}{6}$개 더 먹었습니다. 두호는 사과를 몇 개 먹었을까요?

$1\frac{2}{6}+\frac{7}{6}=2\frac{3}{6}$(개), $2\frac{3}{6}+\frac{3}{6}=3$(개)

(3개)

또는 $\frac{18}{6}$개

무게가 $\frac{7}{4}$kg인 상자가 2상자, $2\frac{1}{4}$kg인 상자가 1상자 있습니다. 3상자의 무게는 모두 몇 kg일까요?

$\frac{7}{4}+\frac{7}{4}=3\frac{2}{4}$(kg), $3\frac{2}{4}+2\frac{1}{4}=5\frac{3}{4}$(kg)

($5\frac{3}{4}$kg)

또는 $\frac{23}{4}$kg

18 교과연산 D2

31 진분수와 1 뺄셈

📖 빼는 수만큼 ×표 하고 분수의 뺄셈을 해 보세요.

$$\frac{6}{7} - \frac{2}{7} = \frac{4}{7}$$

1칸 ×표 하면 정답 입니다.

$$\frac{3}{5} - \frac{1}{5} = \frac{2}{5}$$

5칸 ×표 하면 정답 입니다.

$$\frac{9}{10} - \frac{5}{10} = \frac{4}{10}$$

6칸 ×표 하면 정답 입니다.

$$\frac{7}{9} - \frac{6}{9} = \frac{1}{9}$$

$$1 - \frac{1}{3} = \frac{2}{3}$$

4칸 ×표 하면 정답 입니다.

$$1 - \frac{4}{7} = \frac{3}{7}$$

5칸 ×표 하면 정답 입니다.

$$1 - \frac{5}{6} = \frac{1}{6}$$

3칸 ×표 하면 정답 입니다.

$$1 - \frac{3}{8} = \frac{5}{8}$$

📖 수직선을 이용하여 분수의 뺄셈을 해 보세요.

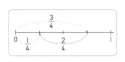

$$\frac{3}{4} - \frac{2}{4} = \frac{3-2}{4} = \frac{1}{4}$$

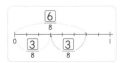

$$\frac{6}{8} - \frac{3}{8} = \frac{6-3}{8} = \frac{3}{8}$$

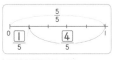

$$1 - \frac{4}{5} = \frac{5}{5} - \frac{4}{5}$$
$$= \frac{5-4}{5} = \frac{1}{5}$$

1은 $\frac{1}{5}$이 5개이므로 $\frac{5}{5}$로 나타낼 수 있습니다.

★ 분모가 같은 분수의 뺄셈

$\frac{6}{7}$은 $\frac{1}{7}$이 6개, $\frac{2}{7}$는 $\frac{1}{7}$이 2개이므로 $\frac{6}{7} - \frac{2}{7}$는 $\frac{1}{7}$이 4개입니다. ➡ $\frac{6}{7} - \frac{2}{7} = \frac{6-2}{7} = \frac{4}{7}$

따라서 분모가 같은 분수의 뺄셈에서도 덧셈과 마찬가지로 분모는 그대로 두고 분자만 뺍니다.

---

32 대분수 뺄셈 (1)

📖 빼는 수만큼 ×표 하고 분수의 뺄셈을 해 보세요.

$$3\frac{4}{5} - 1\frac{2}{5} = (3 - 1) + (\frac{4}{5} - \frac{2}{5}) = 2 + \frac{2}{5} = 2\frac{2}{5}$$

자연수 부분끼리 빼고, 진분수 부분끼리 뺀 결과를 더하여 계산할 수 있습니다.

큰 사각형 2개와 작은 1칸을 ×표 하면 정답입니다.

$$4\frac{2}{3} - 2\frac{1}{3} = (4 - 2) + (\frac{2}{3} - \frac{1}{3}) = 2 + \frac{1}{3} = 2\frac{1}{3}$$

큰 사각형 2개와 작은 3칸을 ×표 하면 정답입니다.

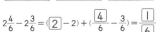

$$2\frac{4}{6} - 2\frac{3}{6} = (2 - 2) + (\frac{4}{6} - \frac{3}{6}) = \frac{1}{6}$$

큰 사각형 1개와 작은 1칸을 ×표 하면 정답입니다.

$$3\frac{1}{4} - 1\frac{1}{4} = (3 - 1) + (\frac{1}{4} - \frac{1}{4}) = 2$$

📖 수직선을 이용하여 분수의 뺄셈을 해 보세요.

대분수를 가분수로 바꾸어 분자끼리 뺄 수 있습니다.

$$4\frac{3}{4} - 1\frac{1}{4} = \frac{19}{4} - \frac{5}{4} = \frac{14}{4} = 3\frac{2}{4}$$

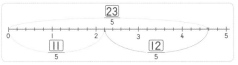

$$4\frac{3}{5} - 2\frac{2}{5} = \frac{23}{5} - \frac{12}{5} = \frac{11}{5} = 2\frac{1}{5}$$

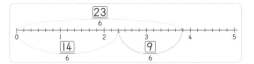

$$3\frac{5}{6} - 1\frac{3}{6} = \frac{23}{6} - \frac{9}{6} = \frac{14}{6} = 2\frac{2}{6}$$

정답

24·25쪽

33 두 분수의 차

■ 계산해 보세요.

$$\frac{7}{8} - \frac{4}{8} = \frac{3}{8}$$

$$\frac{5}{10} - \frac{4}{10} = \frac{1}{10}$$

$$1 - \frac{2}{9} = \frac{7}{9}$$

$$1 - \frac{1}{4} = \frac{3}{4}$$

$$4\frac{4}{5} - 1\frac{2}{5} = 3\frac{2}{5} \text{ 또는 } \frac{17}{5}$$

$$5\frac{6}{7} - 3\frac{3}{7} = 2\frac{3}{7} \text{ 또는 } \frac{17}{7}$$

$$6\frac{4}{6} - 2\frac{4}{6} = 4 \text{ 또는 } \frac{24}{6}$$

$$3\frac{8}{9} - 3\frac{1}{9} = \frac{7}{9}$$

$$1\frac{7}{8} - \frac{2}{8} = 1\frac{5}{8} \text{ 또는 } \frac{13}{8}$$

$$3\frac{2}{3} - \frac{4}{3} = 2\frac{1}{3} \text{ 또는 } \frac{7}{3}$$

$$\frac{13}{7} - 1\frac{5}{7} = \frac{1}{7}$$

$$\frac{23}{4} - 4\frac{1}{4} = 1\frac{2}{4} \text{ 또는 } \frac{6}{4}$$

$$\frac{25}{9} - \frac{10}{9} = 1\frac{6}{9} \text{ 또는 } \frac{15}{9}$$

$$\frac{39}{10} - \frac{15}{10} = 2\frac{4}{10} \text{ 또는 } \frac{24}{10}$$

■ 분수의 뺄셈을 해 보세요.

$-$	$\frac{1}{5}$	$\frac{2}{5}$	$\frac{3}{5}$
$\frac{4}{5}$	$\frac{3}{5}$	$\frac{2}{5}$	$\frac{1}{5}$

$-$	$\frac{2}{12}$	$\frac{3}{12}$	$\frac{6}{12}$
$\frac{7}{12}$	$\frac{5}{12}$	$\frac{4}{12}$	$\frac{1}{12}$

$-$	$\frac{2}{6}$	$\frac{6}{6}$	$\frac{7}{6}$
$\frac{10}{6}$	$1\frac{2}{6}$	$\frac{4}{6}$	$\frac{3}{6}$

또는 $\frac{8}{6}$

$-$	$\frac{4}{3}$	$\frac{8}{3}$	$\frac{10}{3}$
$\frac{14}{3}$	$3\frac{1}{3}$	2	$1\frac{1}{3}$

또는 $\frac{10}{3}$ $\frac{6}{3}$ $\frac{4}{3}$

$-$	$\frac{4}{7}$	$1\frac{5}{7}$	$3\frac{1}{7}$
$4\frac{6}{7}$	$4\frac{2}{7}$	$3\frac{1}{7}$	$1\frac{5}{7}$

또는 $\frac{30}{7}$ $\frac{22}{7}$ $\frac{12}{7}$

$-$	$\frac{2}{9}$	$2\frac{1}{9}$	$4\frac{6}{9}$
$7\frac{7}{9}$	$7\frac{5}{9}$	$5\frac{6}{9}$	$3\frac{1}{9}$

또는 $\frac{68}{9}$ $\frac{51}{9}$ $\frac{28}{9}$

$-$	$\frac{3}{4}$	$\frac{5}{4}$	$\frac{14}{4}$
$5\frac{3}{4}$	5	$4\frac{2}{4}$	$2\frac{1}{4}$

또는 $\frac{20}{4}$ $\frac{18}{4}$ $\frac{9}{4}$

$-$	$1\frac{4}{8}$	$2\frac{3}{8}$	$3\frac{1}{8}$
$\frac{29}{8}$	$2\frac{1}{8}$	$1\frac{2}{8}$	$\frac{4}{8}$

또는 $\frac{17}{8}$ $\frac{10}{8}$

24 교과연산 D2

2주차. 분수의 뺄셈 (1) 25

26·27쪽

34 □가 있는 뺄셈

■ 빈칸에 알맞은 수를 써넣으세요.

$$\frac{5}{6} - \frac{\boxed{4}}{6} = \frac{1}{6}$$
5−□=1

$$\frac{\boxed{5}}{9} - \frac{2}{9} = \frac{3}{9}$$

$$\frac{10}{3} - \frac{\boxed{1}}{3} = 3 = \frac{9}{3}$$
3=9/3

$$\frac{\boxed{18}}{5} - \frac{2}{5} = 3\frac{1}{5} = \frac{16}{5}$$

$$\frac{7}{2} - \frac{\boxed{4}}{2} = 1\frac{1}{2} = \frac{3}{2}$$

$$\frac{\boxed{26}}{10} - \frac{11}{10} = 1\frac{5}{10} = \frac{15}{10}$$

$$2\frac{6}{7} - 1\frac{\boxed{4}}{7} = 1\frac{2}{7}$$
자연수 부분: 2−1=1
진분수의 분자: 6−□=2

$$4\frac{\boxed{2}}{4} - 2\frac{1}{4} = 2\frac{1}{4}$$
자연수 부분: 4−2=2
진분수의 분자: □−1=1

$$3\frac{4}{5} - \frac{\boxed{6}}{5} = 2\frac{3}{5}$$
$\frac{19}{5} - \frac{\boxed{}}{5} = \frac{13}{5}$

$$\frac{\boxed{21}}{8} - 1\frac{3}{8} = 1\frac{2}{8}$$
$\frac{\boxed{}}{8} - \frac{11}{8} = \frac{10}{8}$

$$2\frac{5}{6} - \frac{\boxed{12}}{6} = \frac{5}{6}$$
$\frac{17}{6} - \frac{\boxed{}}{6} = \frac{5}{6}$

$$\frac{\boxed{19}}{7} - 2\frac{1}{7} = \frac{4}{7}$$
$\frac{\boxed{}}{7} - \frac{15}{7} = \frac{4}{7}$

■ □ 안에 들어갈 수 있는 수를 모두 써 보세요. (단, □ 안에 들어가는 수는 0보다 큽니다.)

$$\frac{7}{10} - \frac{3}{10} > \frac{\boxed{}}{10}$$
(1, 2, 3)
$\frac{4}{10} > \frac{\boxed{}}{10}$

$$4\frac{5}{9} - 1\frac{1}{9} < 3\frac{\boxed{}}{9}$$
(5, 6, 7, 8)
$3\frac{4}{9} < 3\frac{\boxed{}}{9}$

$$\frac{7}{9} - \frac{\boxed{}}{9} > \frac{2}{9}$$
(1, 2, 3, 4)
$\frac{7}{9} - \frac{5}{9} = \frac{2}{9}$

$$3\frac{\boxed{}}{8} - 1\frac{2}{8} > 2\frac{2}{8}$$
(5, 6, 7)
$3\frac{4}{8} - 1\frac{2}{8} = 2\frac{2}{8}$

$$4\frac{5}{6} - 2\frac{\boxed{}}{6} < 2\frac{3}{6}$$
(3, 4, 5)
$4\frac{5}{6} - 2\frac{2}{6} = 2\frac{3}{6}$

$$\frac{10}{3} - \frac{\boxed{}}{3} > 1\frac{2}{3}$$
(1, 2, 3, 4)
$\frac{10}{3} - \frac{5}{3} = \frac{5}{3}$

$$0 < \frac{\boxed{}}{5} - \frac{2}{5} < 1$$
(3, 4, 5, 6)
$0 = \frac{2}{5} - \frac{2}{5}$ $\frac{7}{5} - \frac{2}{5} = \frac{5}{5}$

$$1 < \frac{11}{4} - \frac{\boxed{}}{4} < 2$$
(4, 5, 6)
$\frac{4}{4} = \frac{11}{4} - \frac{7}{4}$ $\frac{11}{4} - \frac{3}{4} = \frac{8}{4}$

26 교과연산 D2

2주차. 분수의 뺄셈 (1) 27

6 교과연산 D2

35 이야기하기

■ 물음에 답하세요.

노란색 끈의 길이는 $\frac{7}{8}$m, 파란색 끈의 길이는 $\frac{4}{8}$m입니다. 노란색 끈은 파란색 끈보다 몇 m 더 길까요?

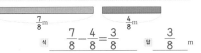

식 $\frac{7}{8} - \frac{4}{8} = \frac{3}{8}$ 답 $\frac{3}{8}$ m

물이 $5\frac{9}{10}$컵 있습니다. 시연이가 물 $2\frac{2}{10}$컵을 마셨다면 남은 물은 몇 컵일까요?

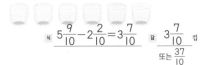

식 $5\frac{9}{10} - 2\frac{2}{10} = 3\frac{7}{10}$ 답 $3\frac{7}{10}$ 컵

또는 $\frac{37}{10}$

은행에서 병원까지 가는 거리는 몇 km일까요?

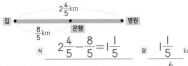

집 ●━━ 은행 ●━━ 병원
$2\frac{4}{5}$km
$\frac{8}{5}$km

식 $2\frac{4}{5} - \frac{8}{5} = 1\frac{1}{5}$ 답 $1\frac{1}{5}$ km

또는 $\frac{6}{5}$

식을 쓸 때 대분수를 가분수로, 가분수를 대분수로 나타내어도 정답입니다.

■ 물음에 답하세요.

우유가 1L 있습니다. 은성이가 우유를 오전에 $\frac{2}{9}$L, 오후에 $\frac{5}{9}$L 마셨습니다. 남은 우유는 몇 L일까요?

$1 - \frac{2}{9} = \frac{7}{9}$(L), $\frac{7}{9} - \frac{5}{9} = \frac{2}{9}$(L) ($\frac{2}{9}$L)

설탕이 $4\frac{5}{7}$kg 있습니다. 잼을 만드는 데 $1\frac{2}{7}$kg 사용하고, 쿠키를 만드는 데 $\frac{3}{7}$kg 사용했습니다. 남은 설탕은 몇 kg일까요?

$4\frac{5}{7} - 1\frac{2}{7} = 3\frac{3}{7}$(kg), $3\frac{3}{7} - \frac{3}{7} = 3$(kg) (3kg)

또는 $\frac{21}{7}$kg

주스가 $5\frac{4}{6}$컵 있습니다. 진우가 2컵, 지은이가 $\frac{9}{6}$컵 마셨습니다. 남은 주스는 몇 컵일까요?

$5\frac{4}{6} - 2 = 3\frac{4}{6}$(컵), $3\frac{4}{6} - \frac{9}{6} = 2\frac{1}{6}$(컵) ($2\frac{1}{6}$컵)

또는 $\frac{13}{6}$컵

경찰서에서 우체국까지 가는 거리는 몇 km일까요?

집 ●━ 경찰서 ━ 우체국 ━ 기차역
$6\frac{6}{8}$km
$\frac{3}{8}$km $3\frac{2}{8}$km

$6\frac{6}{8} - \frac{3}{8} = 6\frac{3}{8}$(km), $6\frac{3}{8} - 3\frac{2}{8} = 3\frac{1}{8}$(km) ($3\frac{1}{8}$km)

또는 $\frac{25}{8}$km

■ 물음에 답하세요.

밀가루가 1kg 있습니다. 케이크 1개를 만드는 데 밀가루 $\frac{2}{5}$kg이 필요합니다. 케이크를 몇 개까지 만들 수 있고, 남는 밀가루는 몇 kg일까요?

1kg에서 케이크 1개를 만드는 데 필요한 양만큼 계속 뺍니다.

만들 수 있는 케이크 2 개, 남는 밀가루 $\frac{1}{5}$ kg

케이크 1개의 양만큼 계속 뺍니다.

$1 - \frac{2}{5} = \frac{3}{5}$(kg), $\frac{3}{5} - \frac{2}{5} = \frac{1}{5}$(kg)

리본끈이 $4\frac{6}{8}$m 있습니다. 상자 1개를 포장하는 데 리본끈 $1\frac{2}{8}$m가 필요합니다. 상자를 몇 개까지 포장할 수 있고, 남는 리본끈은 몇 m일까요?

포장할 수 있는 상자 3 개, 남는 리본끈 1 m

상자 1개를 포장하는 길이만큼 계속 뺍니다. 또는 $\frac{8}{8}$

$4\frac{6}{8} - 1\frac{2}{8} = 3\frac{4}{8}$(m), $3\frac{4}{8} - 1\frac{2}{8} = 2\frac{2}{8}$(m), $2\frac{2}{8} - 1\frac{2}{8} = 1$(m)

사과가 $2\frac{5}{6}$kg 있습니다. 사과 파이 1개를 만드는 데 사과 $\frac{7}{6}$kg이 필요합니다. 사과 파이를 몇 개까지 만들 수 있고, 남는 사과는 몇 kg일까요?

만들 수 있는 사과 파이 2 개, 남는 사과 $\frac{3}{6}$ kg

사과 파이 1개의 양만큼 계속 뺍니다.

$2\frac{5}{6} - \frac{7}{6} = 1\frac{4}{6}$(kg), $1\frac{4}{6} - \frac{7}{6} = \frac{3}{6}$(kg)

32·33쪽

36 자연수에서 분수 빼기

■ 빼는 수만큼 ✕표 하고 분수의 뺄셈을 해 보세요.

$2 - \dfrac{2}{3} = 1\dfrac{3}{3} - \dfrac{2}{3} = \boxed{1}\dfrac{\boxed{1}}{3}$

$1\dfrac{3}{3}$은 실제로 나타낼 수 없는 분수이지만 계산 과정에서만
자연수 1만큼을 가분수로 바꾼다는 표현으로 사용할 수 있습니다.

$4 - \dfrac{3}{5} = 3\dfrac{\boxed{5}}{5} - \dfrac{3}{5} = 3\dfrac{\boxed{2}}{5}$

작은 3칸을 ✕표 하면 정답입니다. 4에서 1만큼을 ○을 바꿉니다.

$3 - 1\dfrac{1}{6} = \boxed{2}\dfrac{\boxed{6}}{6} - 1\dfrac{1}{6} = \boxed{1}\dfrac{\boxed{5}}{6}$

$5 - 2\dfrac{3}{4} = \boxed{4}\dfrac{\boxed{4}}{4} - 2\dfrac{3}{4} = \boxed{2}\dfrac{\boxed{1}}{4}$

큰 사각형 2개와 작은 3칸을
✕표 하면 정답입니다.

32 교과연산 D2

■ 수직선을 이용하여 분수의 뺄셈을 해 보세요.

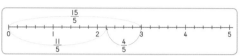

자연수와 대분수를 가분수로 바꾸어 계산합니다.

$3 - \dfrac{4}{5} = \dfrac{15}{5} - \dfrac{\boxed{4}}{5} = \dfrac{\boxed{11}}{5} = \boxed{2}\dfrac{\boxed{1}}{5}$

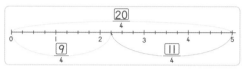

$5 - 2\dfrac{3}{4} = \dfrac{\boxed{20}}{4} - \dfrac{\boxed{11}}{4} = \dfrac{\boxed{9}}{4} = \boxed{2}\dfrac{\boxed{1}}{4}$

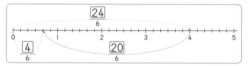

$4 - 3\dfrac{2}{6} = \dfrac{\boxed{24}}{6} - \dfrac{\boxed{20}}{6} = \dfrac{\boxed{4}}{6}$

33 3주차. 분수의 뺄셈 (2)

34·35쪽

37 대분수 뺄셈 (2)

■ 빼는 수만큼 ✕표 하고 분수의 뺄셈을 해 보세요.

$3\dfrac{1}{4} - \dfrac{2}{4} = 2\dfrac{5}{4} - \dfrac{2}{4} = \boxed{2}\dfrac{\boxed{3}}{4}$

3에서 1만큼을 ○을 바꾼 다음, $\frac{1}{4}$과 합쳐 $\frac{5}{4}$로 나타냅니다.

$2\dfrac{2}{7} - \dfrac{5}{7} = \boxed{1}\dfrac{\boxed{9}}{7} - \dfrac{5}{7} = \boxed{1}\dfrac{\boxed{4}}{7}$

작은 5칸을 ✕표 하면 정답입니다. $2\frac{2}{7} → 1\frac{9}{7}$ 과 $\frac{2}{7} → 1\frac{4}{7}$

$4\dfrac{1}{3} - 1\dfrac{2}{3} = \boxed{3}\dfrac{\boxed{4}}{3} - 1\dfrac{2}{3} = \boxed{2}\dfrac{\boxed{2}}{3}$

$3\dfrac{3}{6} - 2\dfrac{5}{6} = \boxed{2}\dfrac{\boxed{9}}{6} - 2\dfrac{5}{6} = \boxed{}\dfrac{\boxed{4}}{6}$

큰 사각형 2개와 작은 5칸을
✕표 하면 정답입니다.

34 교과연산 D2

■ 수직선을 이용하여 분수의 뺄셈을 해 보세요.

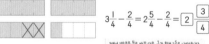

대분수를 가분수로 바꾸어 계산합니다.

$3\dfrac{1}{6} - \dfrac{5}{6} = \dfrac{19}{6} - \dfrac{\boxed{5}}{6} = \dfrac{\boxed{14}}{6} = \boxed{2}\dfrac{\boxed{2}}{6}$

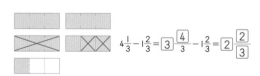

$4\dfrac{2}{4} - 1\dfrac{3}{4} = \dfrac{\boxed{18}}{4} - \dfrac{\boxed{7}}{4} = \dfrac{\boxed{11}}{4} = \boxed{2}\dfrac{\boxed{3}}{4}$

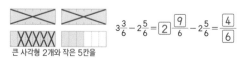

$3\dfrac{2}{5} - 2\dfrac{4}{5} = \dfrac{\boxed{17}}{5} - \dfrac{\boxed{14}}{5} = \dfrac{\boxed{3}}{5}$

35 3주차. 분수의 뺄셈 (2)

38 받아내림이 있는 뺄셈

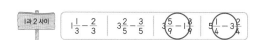

월 일

■ 뺄셈식을 잘못 계산한 이유를 설명하고 있습니다. 빈칸에 알맞은 수를 써넣으세요.

$4 - 1\frac{2}{5} = 3\frac{2}{5}$

4에서 1을 빼고 $\frac{2}{5}$를 더 빼야 하므로

$3 - \frac{2}{5} = 2\frac{5}{5} - \frac{2}{5} = \boxed{2}\frac{\boxed{3}}{\boxed{5}}$ 입니다.

4-1$\frac{2}{5}$가 3보다 큰지 작은지 어림해 봅니다.

$3\frac{1}{4} - 1\frac{2}{4} = 2\frac{3}{4}$

$3\frac{1}{4}$은 $2\frac{\boxed{5}}{\boxed{4}}$로 바꿀 수 있으므로

$2\frac{\boxed{5}}{\boxed{4}} - 1\frac{2}{4} = \boxed{1}\frac{\boxed{3}}{\boxed{4}}$ 입니다.

$3 - 2\frac{6}{7} = 1\frac{1}{7}$

$3 - 2 = 1$이지만 $\frac{6}{7}$을 더 빼야 하므로
계산 결과는 $\boxed{1}$보다 작아야 합니다.

$5\frac{1}{6} - 3\frac{5}{6} = 2\frac{2}{6}$

$5 - 3 = 2$이지만 $\frac{1}{6}$이 $\frac{5}{6}$보다 작으므로
계산 결과는 $\boxed{2}$보다 작아야 합니다.

■ 계산 결과가 조건에 맞는 뺄셈식을 찾아 모두 ○표 하세요.

| 1과 2 사이 | $1 - \frac{2}{5}$ | $\left(2 - \frac{5}{6}\right)$ | $3 - 2\frac{6}{9}$ | $\left(4 - 2\frac{1}{8}\right)$ |

2에서 1보다 작은 수를 빼므로
결과는 1과 2 사이입니다.

$4 - 2$는 2이지만 $\frac{1}{8}$을 더
빼야 하므로 2보다 작습니다.

| 2와 3 사이 | $\left(5 - 2\frac{3}{4}\right)$ | $3 - 1\frac{5}{8}$ | $\left(4 - \frac{9}{7}\right)$ | $6 - \frac{9}{2}$ |

| 1과 2 사이 | $1\frac{1}{3} - \frac{2}{3}$ | $3\frac{2}{5} - \frac{3}{5}$ | $\left(3\frac{5}{9} - 1\frac{8}{9}\right)$ | $\left(5\frac{1}{4} - 3\frac{2}{4}\right)$ |

| 2와 3 사이 | $\left(4\frac{2}{7} - 1\frac{6}{7}\right)$ | $6\frac{2}{4} - 4\frac{3}{4}$ | $3\frac{3}{6} - \frac{10}{6}$ | $\left(5\frac{1}{3} - \frac{8}{3}\right)$ |

| 3과 4 사이 | $4\frac{2}{7} - \frac{11}{7}$ | $\left(6\frac{1}{5} - \frac{13}{5}\right)$ | $\left(8\frac{2}{6} - \frac{13}{6}\right)$ | $\frac{20}{4} - \frac{9}{4}$ |

---

39 두 분수의 차

월 일

■ 계산해 보세요.

$5 - \frac{5}{6} = 4\frac{1}{6}$ 또는 $\frac{25}{6}$

$3 - \frac{3}{9} = 2\frac{6}{9}$ 또는 $\frac{24}{9}$

$6 - 4\frac{1}{5} = 1\frac{4}{5}$ 또는 $\frac{9}{5}$

$4 - 3\frac{5}{8} = \frac{3}{8}$

$3 - \frac{10}{7} = 1\frac{4}{7}$ 또는 $\frac{11}{7}$

$6 - \frac{9}{4} = 3\frac{3}{4}$ 또는 $\frac{15}{4}$

$2\frac{1}{6} - \frac{5}{6} = 1\frac{2}{6}$ 또는 $\frac{8}{6}$

$4\frac{4}{7} - \frac{6}{7} = 3\frac{5}{7}$ 또는 $\frac{26}{7}$

$2\frac{1}{5} - 1\frac{4}{5} = \frac{2}{5}$

$5\frac{4}{8} - 2\frac{7}{8} = 2\frac{5}{8}$ 또는 $\frac{21}{8}$

$5\frac{2}{4} - \frac{19}{4} = \frac{3}{4}$

$3\frac{4}{9} - \frac{17}{9} = 1\frac{5}{9}$ 또는 $\frac{14}{9}$

$\frac{20}{6} - 1\frac{4}{6} = 1\frac{4}{6}$ 또는 $\frac{10}{6}$

$\frac{22}{5} - 3\frac{3}{5} = \frac{4}{5}$

■ 분수의 뺄셈을 해 보세요.

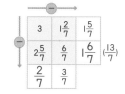

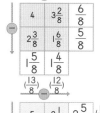

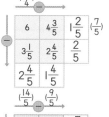

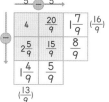

40 이야기하기

■ 알맞게 색칠하고 답을 구해 보세요.

길이가 3m인 끈이 있습니다. 우찬이가 선물을 포장하는 데 $1\frac{3}{4}$m를 사용했습니다. 남은 끈의 길이만큼 색칠하고, 끈이 몇 m 남았는지 구해 보세요.

사용한 길이만큼 ×표 합니다. 작은 5칸을 색칠하면 정답입니다.

($1\frac{1}{4}$)m 또는 $\frac{5}{4}$

길이가 $3\frac{1}{5}$m인 끈이 있습니다. 지안이가 리본을 만드는 데 $\frac{4}{5}$m를 사용했습니다. 남은 끈의 길이만큼 색칠하고, 끈이 몇 m 남았는지 구해 보세요.

작은 12칸을 색칠하면 정답입니다.

($2\frac{2}{5}$)m 또는 $\frac{12}{5}$

길이가 $2\frac{3}{7}$m인 끈이 있습니다. 한울이가 미술 시간에 끈 $1\frac{5}{7}$m를 사용했습니다. 남은 끈의 길이만큼 색칠하고, 끈이 몇 m 남았는지 구해 보세요.

작은 5칸을 색칠하면 정답입니다.

($\frac{5}{7}$)m

■ 물음에 답하세요.

물통에 물 5L가 들어 있습니다. 예원이가 꽃에 물을 주려고 물 $2\frac{1}{3}$L를 사용했습니다. 물통에 남은 물은 몇 L일까요?

식 $5 - 2\frac{1}{3} = 2\frac{2}{3}$ 답 $2\frac{2}{3}$ L
또는 $\frac{8}{3}$

수빈이는 주스 3컵을 마셨고 민재는 $1\frac{2}{5}$컵을 마셨습니다. 수빈이는 민재보다 주스를 몇 컵 더 마셨을까요?

식 $3 - 1\frac{2}{5} = 1\frac{3}{5}$ 답 $1\frac{3}{5}$ 컵
또는 $\frac{8}{5}$

집에서 은행을 지나 우체국까지 가는 거리는 $3\frac{1}{6}$km입니다. 집에서 은행까지 가는 거리가 $\frac{4}{6}$km라면 은행에서 우체국까지 가는 거리는 몇 km일까요?

식 $3\frac{1}{6} - \frac{4}{6} = 2\frac{3}{6}$ 답 $2\frac{3}{6}$ km
또는 $\frac{15}{6}$

사과가 $1\frac{3}{5}$kg 있습니다. 사과를 상자에 담아 무게를 재었더니 $2\frac{1}{5}$kg입니다. 상자의 무게는 몇 kg일까요?

식 $2\frac{1}{5} - 1\frac{3}{5} = \frac{3}{5}$ 답 $\frac{3}{5}$ kg

식을 쓸 때 대분수를 가분수로, 가분수를 대분수로 나타내어도 정답입니다.

■ 물음에 답하세요.

연서네 집에 우유가 4L 있습니다. 연서가 $\frac{3}{5}$L, 연지가 $\frac{4}{5}$L를 마셨습니다. 남은 우유는 몇 L일까요?

$4 - \frac{3}{5} = 3\frac{2}{5}$(L), $3\frac{2}{5} - \frac{4}{5} = 2\frac{3}{5}$(L)

($2\frac{3}{5}$L)
또는 $\frac{13}{5}$L

윤우는 귤 $6\frac{1}{6}$개를 먹었습니다. 은재는 윤우보다 $1\frac{3}{6}$개 더 적게 먹었고, 소윤이는 은재보다 $\frac{5}{6}$개 더 적게 먹었습니다. 소윤이는 귤을 몇 개 먹었을까요?

$6\frac{1}{6} - 1\frac{3}{6} = 4\frac{4}{6}$(개), $4\frac{4}{6} - \frac{5}{6} = 3\frac{5}{6}$(개)

($3\frac{5}{6}$개)
또는 $\frac{23}{6}$개

문구점에서 학교까지 가는 거리는 몇 km일까요?

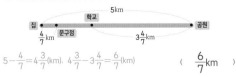

$5 - \frac{4}{7} = 4\frac{3}{7}$(km), $4\frac{3}{7} - 3\frac{4}{7} = \frac{6}{7}$(km)

($\frac{6}{7}$km)

41 분수의 합과 차

월   일

■ 두 분수의 합과 차를 구해 보세요.

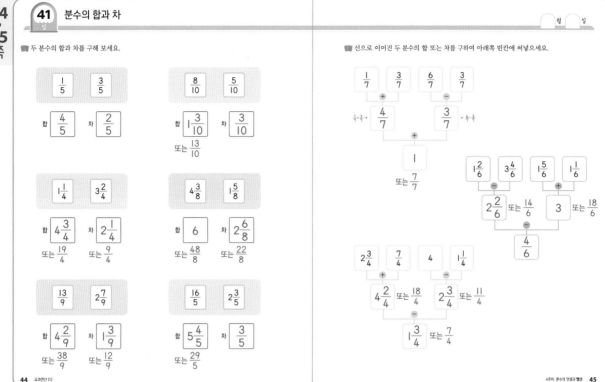

$\dfrac{1}{5}$ $\dfrac{3}{5}$

합 $\dfrac{4}{5}$ 차 $\dfrac{2}{5}$

$\dfrac{8}{10}$ $\dfrac{5}{10}$

합 $1\dfrac{3}{10}$ 차 $\dfrac{3}{10}$

또는 $\dfrac{13}{10}$

$1\dfrac{1}{4}$ $3\dfrac{2}{4}$

합 $4\dfrac{3}{4}$ 차 $2\dfrac{1}{4}$

또는 $\dfrac{19}{4}$ 또는 $\dfrac{9}{4}$

$4\dfrac{3}{8}$ $1\dfrac{5}{8}$

합 6 차 $2\dfrac{6}{8}$

또는 $\dfrac{48}{8}$ 또는 $\dfrac{22}{8}$

$\dfrac{13}{9}$ $2\dfrac{7}{9}$

합 $4\dfrac{2}{9}$ 차 $1\dfrac{3}{9}$

또는 $\dfrac{38}{9}$ 또는 $\dfrac{12}{9}$

$\dfrac{16}{5}$ $2\dfrac{3}{5}$

합 $5\dfrac{4}{5}$ 차 $\dfrac{3}{5}$

또는 $\dfrac{29}{5}$

■ 선으로 이어진 두 분수의 합 또는 차를 구하여 아래쪽 빈칸에 써넣으세요.

$\dfrac{1}{7}$ $\dfrac{3}{7}$ $\dfrac{6}{7}$ $\dfrac{3}{7}$

$\dfrac{1}{7}+\dfrac{3}{7}\rightarrow$ $\dfrac{4}{7}$ (+) $\dfrac{3}{7}$ $\leftarrow\dfrac{6}{7}-\dfrac{3}{7}$

(+)

1

또는 $\dfrac{7}{7}$

$1\dfrac{2}{6}$ $3\dfrac{4}{6}$ $1\dfrac{5}{6}$ $1\dfrac{1}{6}$

(−)   (+)

$2\dfrac{2}{6}$ 또는 $\dfrac{14}{6}$ 3 또는 $\dfrac{18}{6}$

(−)

$\dfrac{4}{6}$

$2\dfrac{3}{4}$ $\dfrac{7}{4}$ 4 $1\dfrac{1}{4}$

(+)   (−)

$4\dfrac{2}{4}$ 또는 $\dfrac{18}{4}$ $2\dfrac{3}{4}$ 또는 $\dfrac{11}{4}$

(−)

$1\dfrac{3}{4}$ 또는 $\dfrac{7}{4}$

42 큰 수, 작은 수

월   일

■ 가장 큰 수와 가장 작은 수의 합을 구해 보세요.

$\dfrac{4}{10}$ $\dfrac{9}{10}$ $\dfrac{3}{10}$

가장 큰 수: $\dfrac{9}{10}$, 가장 작은 수: $\dfrac{3}{10}$

$\dfrac{9}{10}+\dfrac{3}{10}=1\dfrac{2}{10}\ (\dfrac{12}{10})$

또는 $\dfrac{3}{10}+\dfrac{9}{10}$

$2\dfrac{3}{5}$ $2\dfrac{4}{5}$ $3\dfrac{2}{5}$

$3\dfrac{2}{5}+2\dfrac{3}{5}=6\ (\dfrac{30}{5})$

또는 $2\dfrac{3}{5}+3\dfrac{2}{5}$

$\dfrac{13}{7}$ $\dfrac{10}{7}$ $\dfrac{6}{7}$

$\dfrac{13}{7}+\dfrac{6}{7}=2\dfrac{5}{7}\ (\dfrac{19}{7})$

또는 $\dfrac{6}{7}+\dfrac{13}{7}$

$1\dfrac{1}{3}$ $2\dfrac{1}{3}$ $\dfrac{6}{3}$

$2\dfrac{1}{3}+1\dfrac{1}{3}=3\dfrac{2}{3}\ (\dfrac{11}{3})$

또는 $1\dfrac{1}{3}+2\dfrac{1}{3}$

$\dfrac{14}{6}$ $1\dfrac{2}{6}$ $\dfrac{20}{6}$

$\dfrac{20}{6}+1\dfrac{2}{6}=4\dfrac{4}{6}\ (\dfrac{28}{6})$

또는 $1\dfrac{2}{6}+\dfrac{20}{6}$

식을 쓸 때 대분수를 가분수로, 가분수를 대분수로 나타내어도 정답입니다.

■ 가장 큰 수와 가장 작은 수의 차를 구해 보세요.

$\dfrac{7}{9}$ $\dfrac{3}{9}$ $\dfrac{6}{9}$

$\dfrac{7}{9}-\dfrac{3}{9}=\dfrac{4}{9}$

$1\dfrac{2}{4}$ $1\dfrac{3}{4}$ $3\dfrac{2}{4}$

$3\dfrac{2}{4}-1\dfrac{2}{4}=2\ (\dfrac{8}{4})$

$\dfrac{16}{8}$ $\dfrac{9}{8}$ $\dfrac{21}{8}$

$\dfrac{21}{8}-\dfrac{9}{8}=1\dfrac{4}{8}\ (\dfrac{12}{8})$

$3\dfrac{3}{5}$ $\dfrac{24}{5}$ $\dfrac{19}{5}$

$\dfrac{24}{5}-3\dfrac{3}{5}=1\dfrac{1}{5}\ (\dfrac{6}{5})$

$\dfrac{23}{6}$ $4\dfrac{1}{6}$ $4\dfrac{2}{6}$

$4\dfrac{2}{6}-\dfrac{23}{6}=\dfrac{3}{6}$

식을 쓸 때 대분수를 가분수로, 가분수를 대분수로 나타내어도 정답입니다.

48·49쪽

43 크고 작은 합

◾ 두 수를 골라 빈칸에 써넣어 계산 결과가 가장 큰 덧셈식을 만들고 계산해 보세요.

| 1 | 3 | 2 |

또는 2
3

$$\frac{\boxed{3}}{6} + \frac{\boxed{2}}{6} = \frac{5}{6}$$

| 5 | 9 | 6 |

또는 6
9

$$\frac{\boxed{9}}{4} + \frac{\boxed{6}}{4} = 3\frac{3}{4} \ (\frac{15}{4})$$

| 2 | 5 | 3 |

또는 3

$$\boxed{5}\frac{1}{5} + \boxed{3}\frac{3}{5} = 8\frac{4}{5} \ (\frac{44}{5})$$

| 3 | 1 | 4 |

또는 3

$$\boxed{4}\frac{5}{8} + \boxed{3}\frac{3}{8} = 8 \ (\frac{64}{8})$$

| 3 | 4 | 6 |

$$\boxed{6}\frac{2}{7} + 1\frac{\boxed{4}}{7} = 7\frac{6}{7} \ (\frac{55}{7})$$

| 4 | 2 | 3 |

$$\boxed{4}\frac{4}{6} + 2\frac{\boxed{3}}{6} = 7\frac{1}{6} \ (\frac{43}{6})$$

대분수가 크려면 자연수 부분이 커야 합니다.

| 4 | 3 | 1 |

$$3\frac{\boxed{3}}{8} + \boxed{4}\frac{2}{8} = 7\frac{5}{8} \ (\frac{61}{8})$$

| 3 | 7 | 5 |

$$1\frac{\boxed{5}}{9} + \boxed{7}\frac{5}{9} = 9\frac{1}{9} \ (\frac{82}{9})$$

◾ 두 수를 골라 써넣어 합이 가장 작은 식을 만들고 계산해 보세요.

| 1/8 | 5/8 | 2/8 |

$$\frac{\boxed{1}}{8} + \frac{\boxed{2}}{8} = \frac{3}{8}$$

또는 $\frac{2}{8} + \frac{1}{8}$

| 6/12 | 11/12 | 7/12 |

$$\frac{\boxed{6}}{12} + \frac{\boxed{7}}{12} = 1\frac{1}{12} \ (\frac{13}{12})$$

또는 $\frac{7}{12} + \frac{6}{12}$

| $2\frac{3}{7}$ | $3\frac{1}{7}$ | $1\frac{4}{7}$ |

$$1\frac{\boxed{4}}{7} + 2\frac{\boxed{3}}{7} = 4 \ (\frac{28}{7})$$

또는 $2\frac{3}{7} + 1\frac{4}{7}$

| $4\frac{3}{6}$ | $2\frac{2}{6}$ | $4\frac{5}{6}$ |

$$2\frac{\boxed{2}}{6} + 4\frac{\boxed{3}}{6} = 6\frac{5}{6} \ (\frac{41}{6})$$

또는 $4\frac{3}{6} + 2\frac{2}{6}$

| 10/9 | $1\frac{2}{9}$ | $1\frac{7}{9}$ |

$$\frac{\boxed{10}}{9} + 1\frac{\boxed{2}}{9} = 2\frac{3}{9} \ (\frac{21}{9})$$

또는 $1\frac{2}{9} + \frac{10}{9}$

| 45/10 | $3\frac{9}{10}$ | 36/10 |

$$\frac{\boxed{36}}{10} + 3\frac{\boxed{9}}{10} = 7\frac{5}{10} \ (\frac{75}{10})$$

또는 $3\frac{9}{10} + \frac{36}{10}$

대분수를 가분수로, 가분수를 대분수로 나타내어도 정답입니다.

50·51쪽

44 크고 작은 차

◾ 두 수를 골라 빈칸에 써넣어 계산 결과가 가장 큰 뺄셈식을 만들고 계산해 보세요.

| 1 | 7 | 5 |

$$\frac{\boxed{7}}{8} - \frac{\boxed{1}}{8} = \frac{6}{8}$$

| 5 | 4 | 9 |

$$\frac{\boxed{9}}{5} - \frac{\boxed{4}}{5} = 1 \ (\frac{5}{5})$$

| 2 | 3 | 1 |

$$\boxed{3} - \frac{\boxed{1}}{6} = 2\frac{5}{6} \ (\frac{17}{6})$$

| 8 | 4 | 5 |

$$\boxed{8} - 1\frac{\boxed{4}}{9} = 6\frac{5}{9} \ (\frac{59}{9})$$

| 1 | 2 | 3 |

$$\boxed{3}\frac{3}{4} - 1\frac{\boxed{1}}{4} = 2\frac{2}{4} \ (\frac{10}{4})$$

| 5 | 3 | 6 |

$$\boxed{6}\frac{2}{7} - 2\frac{\boxed{3}}{7} = 3\frac{6}{7} \ (\frac{27}{7})$$

| 2 | 3 | 4 |

$$5\frac{\boxed{4}}{5} - \boxed{2}\frac{3}{5} = 3\frac{1}{5} \ (\frac{16}{5})$$

| 5 | 1 | 3 |

$$4\frac{\boxed{5}}{8} - \boxed{1}\frac{7}{8} = 2\frac{6}{8} \ (\frac{22}{8})$$

차가 크려면 큰 수에서 작은 수를 뺍니다.

◾ 두 수를 골라 써넣어 차가 가장 작은 식을 만들고 계산해 보세요.

| 4/9 | 8/9 | 7/9 |

$$\frac{\boxed{8}}{9} - \frac{\boxed{7}}{9} = \frac{1}{9}$$

| 3/10 | 5/10 | 9/10 |

$$\frac{\boxed{5}}{10} - \frac{\boxed{3}}{10} = \frac{2}{10}$$

| $1\frac{1}{4}$ | $1\frac{3}{4}$ | $2\frac{3}{4}$ |

$$1\frac{\boxed{3}}{4} - 1\frac{\boxed{1}}{4} = \frac{2}{4}$$

| $3\frac{2}{5}$ | $2\frac{2}{5}$ | $1\frac{1}{5}$ |

$$3\frac{\boxed{2}}{5} - 2\frac{\boxed{2}}{5} = 1 \ (\frac{5}{5})$$

| 2 | 4 | $3\frac{4}{7}$ |

$$\boxed{4} - 3\frac{\boxed{4}}{7} = \frac{3}{7}$$

| 5 | $5\frac{5}{6}$ | $2\frac{2}{6}$ |

$$2\frac{\boxed{2}}{6} - \frac{\boxed{5}}{6} = 1\frac{3}{6} \ (\frac{9}{6})$$

대분수를 가분수로, 가분수를 대분수로 나타내어도 정답입니다.
차가 작으려면 크기가 비슷한 두 수를 뺍니다.

45 목표수 만들기

월 일

두 수의 합이 자연수가 되는 두 수를 찾아 각각 ○표 하세요.

$\frac{4}{8}$ $\left(\frac{3}{8}\right)$ $\left(\frac{5}{8}\right)$　　$\left(\frac{3}{5}\right)$ $\frac{4}{5}$ $\left(\frac{7}{5}\right)$

$\left(1\frac{2}{7}\right)$ $\left(2\frac{5}{7}\right)$ $3\frac{6}{7}$　　$2\frac{1}{4}$ $\left(1\frac{2}{4}\right)$ $\left(3\frac{2}{4}\right)$

$\left(\frac{7}{6}\right)$ $\left(\frac{11}{6}\right)$ $\frac{15}{6}$　　$\left(\frac{15}{9}\right)$ $\frac{14}{9}$ $\left(\frac{12}{9}\right)$

$\left(2\frac{4}{8}\right)$ $3\frac{3}{8}$ $\left(\frac{4}{8}\right)$　　$1\frac{3}{5}$

$\left(1\frac{2}{5}\right)$ $\left(\frac{8}{5}\right)$ $2\frac{4}{5}$

$2\frac{1}{7}$ $1\frac{5}{7}$

$\left(\frac{15}{7}\right)$ $\frac{12}{7}$ $\left(1\frac{6}{7}\right)$　　$2\frac{2}{6}$ $3\frac{4}{6}$

$3\frac{5}{6}$ $\left(\frac{14}{6}\right)$ $\left(\frac{22}{6}\right)$

가분수 또는 대분수로 같게 만들었을 때,
분자의 합이 분모이거나 분모의 2배, 3배……이면 자연수로 나타낼 수 있습니다.

두 수를 골라 써넣어 식을 완성해 보세요.

$\boxed{\frac{3}{4}}$ $\boxed{\frac{5}{4}}$ $\boxed{\frac{2}{4}}$　　$\boxed{2\frac{3}{7}}$ $\boxed{2\frac{4}{7}}$ $\boxed{2\frac{5}{7}}$

$\boxed{\frac{5}{4}} + \boxed{\frac{2}{4}} = 1\frac{3}{4}$　　$\boxed{2\frac{3}{7}} + \boxed{2\frac{5}{7}} = 5\frac{1}{7}$

또는 $\frac{2}{4} + \frac{5}{4}$　　또는 $2\frac{5}{7} + 2\frac{3}{7}$

$\boxed{\frac{2}{8}}$ $\boxed{\frac{9}{8}}$ $\boxed{\frac{5}{8}}$　　$\boxed{1\frac{2}{6}}$ $\boxed{3\frac{4}{6}}$ $\boxed{5\frac{5}{6}}$

$\boxed{\frac{9}{8}} - \boxed{\frac{5}{8}} = \frac{4}{8}$　　$\boxed{3\frac{4}{6}} - \boxed{1\frac{2}{6}} = 2\frac{2}{6}$

$\boxed{3\frac{2}{5}}$ $\boxed{2\frac{3}{5}}$ $\boxed{4\frac{1}{5}}$　　$3\frac{3}{4}$

$\boxed{1\frac{1}{4}}$ $\boxed{5\frac{1}{4}}$ $\boxed{\frac{15}{4}}$

$\boxed{4\frac{1}{5}} - \boxed{2\frac{3}{5}} = 1\frac{3}{5}$　　$\boxed{5\frac{1}{4}} - \boxed{\frac{15}{4}} = 1\frac{2}{4}$

대분수를 가분수로, 가분수를 대분수로 나타내어도 정답입니다.

조건에 맞는 분수의 합 또는 차를 구해 보세요.

분모가 3인 모든 진분수의 합

$\frac{1}{3} + \frac{2}{3} = 1$　　(1) 또는 $\frac{3}{3}$

분모가 5인 모든 진분수의 합

$\frac{1}{5} + \frac{2}{5} + \frac{3}{5} + \frac{4}{5} = \frac{10}{5} = 2$　　(2) 또는 $\frac{10}{5}$

분모가 8이면서 $\frac{4}{8}$보다 큰 모든 진분수의 합

$\frac{5}{8} + \frac{6}{8} + \frac{7}{8} = \frac{18}{8} = 2\frac{2}{8}$　　($2\frac{2}{8}$) 또는 $\frac{18}{8}$

분모가 9인 가장 작은 진분수와 가장 큰 진분수의 차

$\frac{8}{9} - \frac{1}{9} = \frac{7}{9}$　　($\frac{7}{9}$)

분모가 13인 가장 작은 진분수와 가장 큰 진분수의 차

$\frac{12}{13} - \frac{1}{13} = \frac{11}{13}$　　($\frac{11}{13}$)

56 · 57 쪽

46 진분수의 합과 차

▦ 진분수의 덧셈식과 뺄셈식입니다. 여러 가지 방법으로 식을 완성해 보세요.
(단, $\frac{1}{4}+\frac{2}{4}$와 $\frac{2}{4}+\frac{1}{4}$처럼 위치만 바꾼 것은 같은 식으로 생각합니다.)

$$\frac{1}{7}+\frac{5}{7}=\frac{6}{7}$$
$$\frac{2}{7}+\frac{4}{7}=\frac{6}{7}$$
$$\frac{3}{7}+\frac{3}{7}=\frac{6}{7}$$

$$\frac{5}{8}-\frac{1}{8}=\frac{4}{8}$$
$$\frac{6}{8}-\frac{2}{8}=\frac{4}{8}$$
$$\frac{7}{8}-\frac{3}{8}=\frac{4}{8}$$

$$\frac{3}{7}-\frac{1}{7}=\frac{2}{7}$$
$$\frac{4}{7}-\frac{2}{7}=\frac{2}{7}$$
$$\frac{5}{7}-\frac{3}{7}=\frac{2}{7}$$
$$\frac{6}{7}-\frac{4}{7}=\frac{2}{7}$$

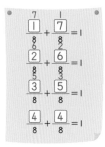

$$\frac{1}{8}+\frac{7}{8}=1$$
$$\frac{2}{8}+\frac{6}{8}=1$$
$$\frac{3}{8}+\frac{5}{8}=1$$
$$\frac{4}{8}+\frac{4}{8}=1$$

▦ 진분수 2개의 합과 차입니다. 두 진분수를 구해 보세요.

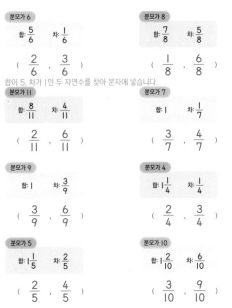

분모가 6
합: $\frac{5}{6}$ 차: $\frac{1}{6}$

($\frac{2}{6}$, $\frac{3}{6}$)

분모가 8
합: $\frac{7}{8}$ 차: $\frac{5}{8}$

($\frac{1}{8}$, $\frac{6}{8}$)

합이 5, 차가 1인 두 자연수를 찾아 분자에 넣습니다.

분모가 11
합: $\frac{8}{11}$ 차: $\frac{4}{11}$

($\frac{2}{11}$, $\frac{6}{11}$)

분모가 7
합: 1   차: $\frac{1}{7}$

($\frac{3}{7}$, $\frac{4}{7}$)

분모가 9
합: 1   차: $\frac{3}{9}$

($\frac{3}{9}$, $\frac{6}{9}$)

분모가 4
합: $1\frac{1}{4}$ 차: $\frac{1}{4}$

($\frac{2}{4}$, $\frac{3}{4}$)

분모가 5
합: $1\frac{1}{5}$ 차: $\frac{2}{5}$

($\frac{2}{5}$, $\frac{4}{5}$)

분모가 10
합: $1\frac{2}{10}$ 차: $\frac{6}{10}$

($\frac{3}{10}$, $\frac{9}{10}$)

58 · 59 쪽

47 대분수의 합과 차

▦ 대분수의 덧셈식과 뺄셈식입니다. ★과 ♥에 들어갈 수 있는 수를 모두 구해 보세요.

$$1\frac{★}{8}+2\frac{♥}{8}=3\frac{6}{8}$$
★+♥=6이고,
★과 ♥는 6보다
작습니다.

| ★ | 1 | 2 | 3 | 4 | 5 |
| ♥ | 5 | 4 | 3 | 2 | 1 |

$$2\frac{★}{9}+3\frac{♥}{9}=5\frac{4}{9}$$

| ★ | 1 | 2 | 3 |
| ♥ | 3 | 2 | 1 |

$$1\frac{★}{6}+2\frac{♥}{6}=3\frac{5}{6}$$

| ★ | 1 | 2 | 3 | 4 |
| ♥ | 4 | 3 | 2 | 1 |

$$2\frac{★}{7}+2\frac{♥}{7}=4\frac{6}{7}$$

| ★ | 1 | 2 | 3 | 4 | 5 |
| ♥ | 5 | 4 | 3 | 2 | 1 |

$$2\frac{★}{6}-1\frac{♥}{6}=1\frac{1}{6}$$
★-♥=1이고,
★과 ♥는 6보다
작습니다.

| ★ | 5 | 4 | 3 | 2 |
| ♥ | 4 | 3 | 2 | 1 |

$$4\frac{★}{8}-2\frac{♥}{8}=2\frac{2}{8}$$

| ★ | 7 | 6 | 5 | 4 | 3 |
| ♥ | 5 | 4 | 3 | 2 | 1 |

$$3\frac{★}{5}-1\frac{♥}{5}=2\frac{1}{5}$$

| ★ | 4 | 3 | 2 |
| ♥ | 3 | 2 | 1 |

$$5\frac{★}{8}-4\frac{♥}{8}=1\frac{3}{8}$$

| ★ | 7 | 6 | 5 | 4 |
| ♥ | 4 | 3 | 2 | 1 |

답을 적는 순서는 달라도 됩니다.

▦ 대분수의 뺄셈식입니다. ★+♥가 가장 크거나 가장 작을 때의 값을 구해 보세요.

$$4\frac{★}{7}-1\frac{♥}{7}=3\frac{4}{7}$$

가장 클 때: (8)
★:6, ♥:2

$$4\frac{★}{5}-1\frac{♥}{5}=3\frac{1}{5}$$

가장 클 때: (7)
★:4, ♥:3

$$3\frac{★}{6}-2\frac{♥}{6}=1\frac{3}{6}$$

가장 클 때: (7)
★:5, ♥:2

$$5\frac{★}{9}-3\frac{♥}{9}=2\frac{4}{9}$$

가장 클 때: (12)
★:8, ♥:4

$$5\frac{★}{6}-1\frac{♥}{6}=4\frac{1}{6}$$

가장 작을 때: (3)
★:2, ♥:1

$$4\frac{★}{5}-3\frac{♥}{5}=1\frac{2}{5}$$

가장 작을 때: (4)
★:3, ♥:1

$$3\frac{★}{8}-1\frac{♥}{8}=2\frac{3}{8}$$

가장 작을 때: (5)
★:4, ♥:1

$$6\frac{★}{9}-4\frac{♥}{9}=2\frac{4}{9}$$

가장 작을 때: (6)
★:5, ♥:1

48일 어떤 수 구하기

월 일

■ 빈칸에 알맞은 수를 써넣으세요.

$\boxed{\frac{5}{8}} + \frac{2}{8} = \frac{7}{8}$ $\frac{7}{8} - \frac{2}{8} = \frac{5}{8}$ $\frac{6}{11} + \boxed{\frac{3}{11}} = \frac{9}{11}$ $\frac{9}{11} - \frac{6}{11} = \frac{3}{11}$

$\frac{7}{8} - \frac{2}{8} = \square$

$\boxed{1\frac{2}{7}} + 2\frac{4}{7} = 3\frac{6}{7}$ $3\frac{6}{7} - 2\frac{4}{7} = 1\frac{2}{7}$ $1\frac{3}{5} + \boxed{\frac{2}{5}} = 2$ $2 - 1\frac{3}{5} = \frac{2}{5}$

$(\frac{9}{7})$

$\boxed{2\frac{3}{6}} + 1\frac{5}{6} = 4\frac{2}{6}$ $4\frac{2}{6} - 1\frac{5}{6} = 2\frac{3}{6}$ $2\frac{2}{3} + \boxed{1\frac{2}{3}} = 4\frac{1}{3}$ $4\frac{1}{3} - 2\frac{2}{3} = 1\frac{2}{3}$

$(\frac{15}{6})$ $(\frac{5}{3})$

$\boxed{\frac{8}{9}} - \frac{7}{9} = \frac{1}{9}$ $\frac{1}{9} + \frac{7}{9} = \frac{8}{9}$ $\frac{7}{10} - \boxed{\frac{3}{10}} = \frac{4}{10}$ $\frac{7}{10} - \frac{4}{10} = \frac{3}{10}$

$\frac{1}{9} + \frac{7}{9} = \square$

$\boxed{3\frac{5}{6}} - 2\frac{3}{6} = 1\frac{2}{6}$ $1\frac{2}{6} + 2\frac{3}{6} = 3\frac{5}{6}$ $5\frac{6}{9} - \boxed{3\frac{4}{9}} = 2\frac{2}{9}$ $5\frac{6}{9} - 2\frac{2}{9} = 3\frac{4}{9}$

$(\frac{23}{6})$ $(\frac{31}{9})$

$\boxed{2} - \frac{5}{8} = 1\frac{3}{8}$ $1\frac{3}{8} + \frac{5}{8} = 2$ $3\frac{2}{7} - \boxed{1\frac{5}{7}} = 1\frac{4}{7}$ $3\frac{2}{7} - 1\frac{4}{7} = 1\frac{5}{7}$

$(\frac{16}{8})$ $(\frac{12}{7})$

■ 물음에 답하세요.

어떤 수에서 $\frac{2}{5}$를 뺐더니 $1\frac{1}{5}$이 되었습니다. 어떤 수는 얼마일까요?

$\square - \frac{2}{5} = 1\frac{1}{5} \rightarrow 1\frac{1}{5} + \frac{2}{5} = 1\frac{3}{5}$ ($1\frac{3}{5}$) 또는 $\frac{8}{5}$

어떤 수에 $\frac{5}{9}$를 더했더니 $\frac{8}{9}$이 되었습니다. 어떤 수는 얼마일까요?

$\square + \frac{5}{9} = 1\frac{8}{9} \rightarrow 1\frac{8}{9} - \frac{5}{9} = 1\frac{3}{9}$ ($1\frac{3}{9}$) 또는 $\frac{12}{9}$

어떤 수에서 $1\frac{2}{6}$를 뺐더니 $1\frac{5}{6}$가 되었습니다. 어떤 수는 얼마일까요?

$\square - 1\frac{2}{6} = 1\frac{5}{6} \rightarrow 1\frac{5}{6} + 1\frac{2}{6} = 3\frac{1}{6}$ ($3\frac{1}{6}$) 또는 $\frac{19}{6}$

어떤 수에서 $1\frac{3}{4}$을 더했더니 $3\frac{2}{4}$가 되었습니다. 어떤 수는 얼마일까요?

$\square + 1\frac{3}{4} = 3\frac{2}{4} \rightarrow 3\frac{2}{4} - 1\frac{3}{4} = 1\frac{3}{4}$ ($1\frac{3}{4}$) 또는 $\frac{7}{4}$

어떤 수에서 $\frac{8}{3}$을 뺐더니 $2\frac{1}{3}$이 되었습니다. 어떤 수는 얼마일까요?

$\square - \frac{8}{3} = 2\frac{1}{3} \rightarrow 2\frac{1}{3} + \frac{8}{3} = 5$ (5) 또는 $\frac{15}{3}$

49일 처음 수 구하기 (1)

월 일

■ 물음에 답하세요.

현수가 잼을 만드는 데 설탕 $\frac{4}{6}$kg을 사용했더니 설탕이 $\frac{1}{6}$kg 남았습니다. 처음에 있던 설탕은 몇 kg이었을까요?

(처음에 있던 설탕)$-\frac{4}{6}=\frac{1}{6}$ ($\frac{5}{6}$kg)

$\square - \frac{4}{6} = \frac{1}{6} \rightarrow \frac{1}{6} + \frac{4}{6} = \frac{5}{6}$

재영이가 꽃을 심으려고 화분에 흙 $1\frac{2}{5}$kg을 부었더니 화분에 있는 흙이 $4\frac{4}{5}$kg이 되었습니다. 처음에 화분에 있던 흙은 몇 kg이었을까요?

$\square + 1\frac{2}{5} = 4\frac{4}{5} \rightarrow 4\frac{4}{5} - 1\frac{2}{5} = 3\frac{2}{5}$ ($3\frac{2}{5}$kg)
또는 $\frac{17}{5}$kg

연지가 사과 $2\frac{3}{4}$개를 먹었더니 사과가 $1\frac{1}{4}$개 남았습니다. 처음에 있던 사과는 몇 개였을까요?

$\square - 2\frac{3}{4} = 1\frac{1}{4} \rightarrow 1\frac{1}{4} + 2\frac{3}{4} = 4$ (4개)
또는 $\frac{16}{4}$개

상자에 참외 $2\frac{5}{6}$kg을 넣고 무게를 재었더니 $3\frac{3}{6}$kg이었습니다. 참외를 넣기 전 상자의 무게는 몇 kg이었을까요?

$\square + 2\frac{5}{6} = 3\frac{3}{6} \rightarrow 3\frac{3}{6} - 2\frac{5}{6} = \frac{4}{6}$ ($\frac{4}{6}$kg)

■ 물음에 답하세요.

가 그릇에서 물 $\frac{3}{5}$L를 나 그릇에 부었더니 두 그릇에 담긴 물이 각각 $\frac{4}{5}$L가 되었습니다. 처음에 두 그릇에 담겨 있던 물은 각각 몇 L였을까요?

가 그릇의 물이 줄었고, 나 그릇의 물이 늘어났습니다.

가 그릇: ($1\frac{2}{5}$L)   나 그릇: ($\frac{1}{5}$L)

가 그릇: $\frac{4}{5} + \frac{3}{5} = 1\frac{2}{5}$ 또는 $\frac{7}{5}$L

나 그릇: $\frac{4}{5} - \frac{3}{5} = \frac{1}{5}$

승아가 주한이에게 찰흙 $2\frac{1}{4}$kg을 주었더니 두 사람이 가진 찰흙이 각각 3kg이 되었습니다. 처음에 승아와 주한이는 찰흙을 각각 몇 kg 갖고 있었을까요?

승아: $3 + 2\frac{1}{4} = 5\frac{1}{4}$ 승아: ($5\frac{1}{4}$kg)   주한: ($\frac{3}{4}$kg)

주한: $3 - 2\frac{1}{4} = \frac{3}{4}$ 또는 $\frac{21}{4}$kg

성우가 아진이에게 밀가루 $1\frac{2}{3}$kg을 주었더니 두 사람이 가진 밀가루가 각각 $3\frac{1}{3}$kg이 되었습니다. 처음에 성우와 아진이는 밀가루를 각각 몇 kg 갖고 있었을까요?

성우: $3\frac{1}{3} + 1\frac{2}{3} = 5$ 성우: (5kg)   아진: ($1\frac{2}{3}$kg)

아진: $3\frac{1}{3} - 1\frac{2}{3} = 1\frac{2}{3}$ 또는 $\frac{15}{3}$kg   또는 $\frac{5}{3}$kg

정답 **15**

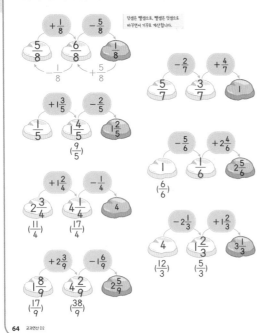

50일 처음 수 구하기 (2)

월 일

■ 빈 곳에 알맞은 수를 써넣으세요.

덧셈은 뺄셈으로, 뺄셈은 덧셈으로 바꾸면서 거꾸로 계산합니다.

$+\frac{1}{8}$ $-\frac{5}{8}$

$\frac{5}{8}$ $\frac{6}{8}$ $\frac{1}{8}$

$-\frac{1}{8}$ $+\frac{5}{8}$

$-\frac{2}{7}$ $+\frac{4}{7}$

$\frac{5}{7}$ $\frac{3}{7}$ 1

$+1\frac{3}{5}$ $-\frac{2}{5}$

$\frac{1}{5}$ $1\frac{4}{5}$ $1\frac{2}{5}$

$\left(\frac{9}{5}\right)$

$-\frac{5}{6}$ $+2\frac{4}{6}$

1 $\frac{1}{6}$ $2\frac{5}{6}$

$\left(\frac{6}{6}\right)$

$+1\frac{2}{4}$ $-\frac{1}{4}$

$2\frac{3}{4}$ $4\frac{1}{4}$ 4

$\left(\frac{11}{4}\right)$ $\left(\frac{17}{4}\right)$

$-2\frac{1}{3}$ $+1\frac{2}{3}$

4 $1\frac{2}{3}$ $3\frac{1}{3}$

$\left(\frac{12}{3}\right)$ $\left(\frac{5}{3}\right)$

$+2\frac{3}{9}$ $-1\frac{6}{9}$

$1\frac{8}{9}$ $4\frac{2}{9}$ $2\frac{5}{9}$

$\left(\frac{17}{9}\right)$ $\left(\frac{38}{9}\right)$

■ 물음에 답하세요.

진서가 컵에 있던 우유 중에 $\frac{2}{8}$L를 마시고 나서 $\frac{3}{8}$L를 더 부었더니 컵에 있는 우유가 $\frac{4}{8}$L가 되었습니다. 처음에 컵에 있던 우유는 몇 L였는지 물음에 답하세요.

지금 컵에 있는 우유는 몇 L인가요?

($\frac{4}{8}$L)

우유를 더 붓기 전 컵에 있던 우유는 몇 L였을까요?

$\frac{3}{8}$L를 붓고 나서 $\frac{4}{8}$가 되었습니다. ($\square$ $+\frac{3}{8}=\frac{4}{8}$)

우유를 붓기 전: $\frac{4}{8}-\frac{3}{8}=\frac{1}{8}$(L)

($\frac{1}{8}$L)

우유를 마시기 전 처음에 컵에 있던 우유는 몇 L였을까요?

$\frac{2}{8}$L를 마시고 나서 $\frac{1}{8}$L가 되었습니다. ($\square$ $-\frac{2}{8}=\frac{1}{8}$)

우유를 마시기 전: $\frac{1}{8}+\frac{2}{8}=\frac{3}{8}$(L)

($\frac{3}{8}$L)

■ 물음에 답하세요.

유진이는 물이 들어 있는 물통에 물 $\frac{3}{4}$L를 더 붓고 나서 나무에 물을 주려고 $1\frac{1}{4}$L를 사용했습니다. 남은 물이 $\frac{1}{4}$L라면 처음 물통에 들어 있던 물은 몇 L였을까요?

나무에 물을 주기 전에 물이 얼마 있었는지부터 구합니다.

남은 물: $\frac{1}{4}$L

나무에 물을 주기 전: $\frac{1}{4}+1\frac{1}{4}=1\frac{2}{4}$(L)

물통에 붓기 전 처음: $1\frac{2}{4}-\frac{3}{4}=\frac{3}{4}$(L)

($\frac{3}{4}$L)

연우는 주스를 만드는 데 설탕 $2\frac{2}{3}$컵을 사용하고, 쿠키를 만드는 데 설탕 $1\frac{1}{3}$컵을 사용했습니다. 남은 설탕이 1컵이라면 처음에 있던 설탕은 몇 컵이었을까요?

남은 설탕: 1컵

쿠키를 만들기 전: $1+1\frac{1}{3}=2\frac{1}{3}$(컵)

주스를 만들기 전 처음: $2\frac{1}{3}+2\frac{2}{3}=5$(컵)

(5컵)

또는 $\frac{15}{3}$컵

민석이는 빵을 만드는 데 밀가루가 부족하여 $1\frac{2}{5}$kg를 더 샀습니다. 민석이가 밀가루 $2\frac{1}{5}$kg으로 빵을 만들고 나니 $\frac{4}{5}$kg이 남았습니다. 처음에 있던 밀가루는 몇 kg이었을까요?

남은 밀가루: $\frac{4}{5}$kg 빵을 만들기 전: $\frac{4}{5}+2\frac{1}{5}=3$(kg)

밀가루를 사기 전 처음: $3-1\frac{2}{5}=1\frac{3}{5}$(kg)

($1\frac{3}{5}$kg)

또는 $\frac{8}{5}$kg

하루 한 장 75일
집중 완성

교과
연산

"연산을 이해하려면 수를 먼저 이해해야 합니다."

"계산은 문제를 해결하는 하나의 과정입니다."

"교과연산은 상황을 판단하는 능력을 길러줍니다."